双车道公路交通事故风险评价与安全设计方法

程国柱 徐 亮 薛长龙 等 著

U0262711

科学出版社

北 京

内 容 简 介

开展双车道公路交通事故风险评价与安全设计方法研究,可为降低低等级公路交通事故率、减少事故伤亡人数与损失提供理论与技术支撑。本书以双车道公路交通事故风险评价与安全设计方法为主线,注重理论与实践相结合,在介绍双车道公路交通运行环境与事故特征的基础上,重点研究双车道公路超车事故风险评价、双车道公路路侧事故发生概率预测与风险评价、双车道公路附加车道设计方法、双车道公路路侧净区与安全边坡设计方法、双车道公路路侧解体消能标志设计方法、双车道公路最高车速限制方法等内容。

本书可为公路设计与规划部门的技术人员及管理者提供参考,也可作为从事道路交通安全研究的科研人员、高等院校交通运输工程学科的研究生和交通工程、道路工程等专业的本科生的参考用书。

图书在版编目(CIP)数据

双车道公路交通事故风险评价与安全设计方法/程国柱等著. —北京:科学出版社,2023.3
ISBN 978-7-03-073486-0

Ⅰ. ①双… Ⅱ. ①程… Ⅲ. ①公路运输—交通运输事故—风险评价②公路—安全设计 Ⅳ. ①U491.31 ②U412.36

中国版本图书馆 CIP 数据核字(2022)第 192567 号

责任编辑:张 庆 王晓丽/责任校对:王萌萌
责任印制:吴兆东/封面设计:无极书装

科 学 出 版 社 出版
北京东黄城根北街 16 号
邮政编码:100717
http://www.sciencep.com

北京九州迅驰传媒文化有限公司 印刷
科学出版社发行 各地新华书店经销

*

2023 年 3 月第 一 版 开本:720×1000 1/16
2023 年 3 月第一次印刷 印张:11 3/4
字数:237 000

定价:128.00 元
(如有印装质量问题,我社负责调换)

前　　言

双车道公路是我国干线公路网的主要形式之一，在公路网运输中扮演重要角色。尤其在我国西部地区，公路建设受到国民经济、交通需求、地形地貌等多方面限制。截至 2019 年末，我国公路通车总里程达 501.25 万 km，其中，二级、三级公路（双车道公路）通车里程占公路通车里程总数的 17%，双车道公路在我国公路网中的地位可谓举足轻重，然而其发生的交通事故起数及造成的死伤人数却高达全国公路的 60% 以上。

随着我国公路交通建设的快速发展和机动车保有量的持续增加，人们出行更加便利，但这也导致了更多交通事故。我国在道路交通安全方面的研究起步较晚，尤其对二级以下等级的公路研究较少。据统计，截至目前，我国交通事故案例中，双车道公路上发生的交通事故最多、最严重（尤其是超车安全问题和路侧安全问题），引起的事故伤亡和事故率也最高。因此，有必要对双车道公路交通事故风险评价与安全设计展开进一步研究。

由于双车道公路单向只能供一条车道通行，所以当后方车辆出现超车需求时，必须利用对向车道才能完成超车。而我国机动车的性能差异明显，在双车道公路交通量不大的情况下，超车需求尚且经常出现，而当交通量较大时，超车需求便明显增加。但是，借助对向车道超车，驾驶人需要观察对向车道的交通流状况，选择合适的可超车间隙进行超车，而由于驾驶人的视认、感知、判断与决策受到道路、交通、环境等诸多因素影响，势必存在失误风险。此外，双车道公路车道视距受限、线形条件差，极易造成车辆失控从而偏离车道。在车辆驶入路侧后，由于双车道公路路侧环境复杂，且较多分布危险物，路侧安全防护严重不足，从而导致致命事故时有发生。

鉴于此，笔者整理和归纳了在双车道公路领域的研究成果，围绕交通事故风险评价和安全设计方法完成本书。全书共分为八章。第 1 章介绍本书的研究背景，论述关于超车风险和路侧安全的国内外研究现状，并由此提出本书的主要内容。第 2 章统计分析双车道公路的线形特征、路侧环境特征、交通流参数特征，以及交通事故特征。第 3 章进行双车道公路超车事故风险评价，包括试验方案与数据分析、超车事故风险评价方法和超车事故风险等级划分。第 4 章进行双车道公路路侧事故发生概率预测、路侧事故乘员伤害分析，以及路侧事故风险评价。第 5 章提出双车道公路附加车道设计方法，包括附加车道设置条件、设置间距和几何设计指标。第 6 章从路侧净区宽度计算和路侧净区设置条件两方面介绍双车道公路路侧净区设计方法和安全边坡设计方法。第 7 章提出双车道公路路侧解体消能标志设计方法，包括路侧解体消能标志设计指标研究和设计标准研究，并通过有限元模拟检验消能标志的有效性。第 8 章通过构建基于路侧事故判别的最高安全车速计算模型，给出特殊路段车速限制值，进而提出双车道公路的特殊路段限速方案。

本书由程国柱、徐亮、薛长龙等共同撰写，具体分工为：程国柱撰写第 1 章、第 5 章，徐亮撰写第 2 章、第 3 章，程国柱、程瑞共同撰写第 4 章、第 6 章、第 8 章，薛长龙、程国柱共同撰写第 7 章。特别感谢国家自然科学基金项目"基于超车安全评价的双车道公路附加车道设计方法研究"（51778063）的资助。

由于水平有限，书中难免存在不足之处，请专家和读者给予指正。

程国柱

2022 年 12 月

目　　录

第1章 绪　　论

提高行为安全和车辆安全是一个战略性的长期发展目标，社会发展、科技进步的渐进性决定了其必然需要经历漫长的发展过程。此外，任何道路交通事故均存在着不同程度的必然性和偶然性，任何发展阶段均无法彻底根除偶然交通事故对人类生命安全的威胁。

1.1　研　究　背　景

近年来，随着我国社会经济的快速发展，公路交通运输事业取得长足进步，公路建设在总量和质量上实现了巨大突破。根据交通运输部统计数据[1]显示，截至 2021 年底，我国公路总里程达到了 528.07 万 km，公路密度为 55.01km/(百 km²)。其中，高速公路里程为 16.91 万 km（占公路里程的 3.2%），一级公路里程为 12.67 万公里（占公路里程的 2.4%），然而，以双车道公路为主的二、三级公路总里程为 89.24 万公里（占公路里程的 16.9%），如图 1-1 所示。由此可知，双车道公路是我国公路路网中较为普遍的形式。

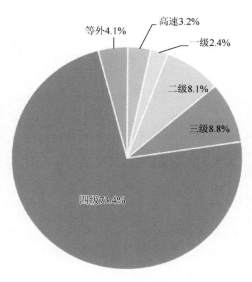

图 1-1　2021 年全国不同等级公路构成

　　随着我国公路总里程不断增加，以及机动车保有量持续增加，当前我国道路交通事故频发，公路交通安全问题成为我国严重的社会问题之一。2015 年 10 月 19 日，世界卫生组织在日内瓦发布的《2015 年全球道路安全现状报告》指出，尽管道路交通安全有所改善，但每年仍有约 125 万人死于道路交通事故。《交通强国建设纲要》明确指出我国要构建"安全、便捷、高效、绿色、经济"的现代化综合交通体系，"安全"居于首位。道路交通安全研究也一直为交通运输工程学科的重点研究方向之一。

　　长期以来，我国各级公路管理部门投入了大量的资金和人力管理，虽然取得了一定成效，但是我国公路总里程数较多且交通事故基数较大，道路交通安全形势依然不容乐观。通过对我国近年来交通事故数据统计资料的整理[2]，可得出不同等级公路的交通事故年死亡人数的逐年变化情况，如图 1-2 所示。

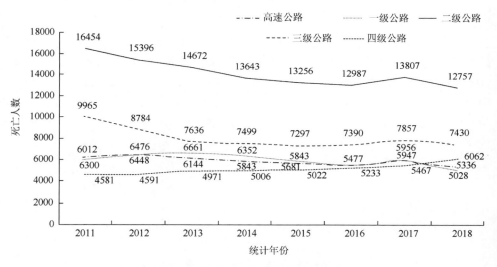

图 1-2　2011～2018 年我国不同等级公路的交通事故年死亡人数

　　通过图 1-2 不难看出，高速公路和一级公路的交通事故年死亡人数呈现出一定的下降趋势，但变化不大，与其他等级公路相比，死亡人数较少；四级公路则呈现出小幅度上升的趋势。二级公路的交通事故年死亡人数在所有等级公路中最多，其次为三级公路。

　　双车道公路作为我国普通国省干线公路的主体，承担公路上的大部分客、货运量，在公路网中发挥极其重要的作用。然而，其居高不下的交通事故死亡人数也说明我国双车道公路目前的交通安全形势依然不容乐观，应当引起足够重视。我国在道路交通安全方面的研究起步较晚，并且在交通安全保障技术方面的研究多侧重于高速公路和一级公路，对二级以下等级的双车道公路研究较少，但是每年发生在二级、三级公路上的交通事故却是最多、最严重的。尤其是路段上车辆超车不当而导致的交通事故,以及危险而复杂的路侧环境导致的路侧致死事故的比例较高。因此,解决好双车道公路的交通安全问题是解决整个公路网交通安全问题的关键,同时也是提高我国道路交通安全水平的当务之急。

1.1.1 双车道公路超车风险

一般情况下,行驶于双车道公路的车辆不仅会受到同向交通流之间的干扰,也会受到对向来车的影响。通常,车辆只在本向车道内运行,受汽车动力性能、驾驶人期望速度等因素的影响,车辆在运行速度上具有一定的差异,这使速度较快的车辆经常被迫跟驰于慢速车辆,只有当对向交通出现合理的间隙和足够的视距且本车道满足一定的回车条件时,驾驶人才会借用对向车道来超越慢速车辆。双车道公路的交通运行效率与安全性也主要取决于上述交通特点。

由图 1-1 和图 1-2 可以看出,在我国公路通车总里程数中,二、三级双车道公路占总里程数的比例小于 20%,然而发生在其上的交通事故及死亡人数却超过半数,双车道公路已成为"事故之路"。从交通安全的角度来看,超车时,驾驶人将进行加速、制动、借道、回车等一系列操作,这些操作均有一定的失误风险,对超车机会的判断、道路环境的感知也存在一定偏差,这些因素均增加了超车的风险性和失误率。尤其是当临时占用对向车道超越本车道慢速车辆时,与对向来车碰撞引起的事故往往比其他类型的事故更严重。同时,双车道公路上的慢速车辆(载重量较大的货车或汽车性能较差的小型客车)对跟随其后的快速车辆具有一定的拦截作用,使快速车辆无法按其期望速度顺利通行,因同向车道及对向车道的交通条件而无法顺利超车的快速车辆延长了自身的在途时间,即慢速车辆降低了交通运行效率。因此,基于双车道公路的交通特点,如何采取措施提高超车安全性,减少双车道公路上的交通拥堵,进而提高通行能力成为道路交通领域的研究难点和热点之一。

双车道公路出现上述问题的根本原因在于快速车辆借用对向车道超车的可行性与安全性,如果在双车道公路两侧设置附加车道,使慢速车辆在对应位置驶入其中,既为快速车辆顺利超车提供条件,又能避免借道超车的风险。附加车道是一种新型的技术措施。目前,在我国《公路工程技术标准》(JTG B01—2014)与《公路路线设计规范》(JTG D20—2017)中,尚缺少附加车道的相关规定。

1.1.2 双车道公路路侧事故

路侧事故一般定义为车辆越过道路边缘或中心线,随后与护栏、电线杆、路侧行道树等固定物发生碰撞，甚至发生翻车、坠入深沟或河流。美国联邦公路局（Federal Highway Administration，FHWA）关于路侧安全研究项目的统计显示[3]，2018 年，美国路侧事故导致的死亡人数占美国所有交通事故死亡人数的 50%以上。欧洲的一项研究项目统计结果[4]也表明，路侧事故在德国、希腊和奥地利分别约占交通事故总数的 19%、19%和 22%，然而路侧事故造成的死亡人数比例却分别高达 33%、34%和 36%，如图 1-3 所示。与其他事故类型相比，路侧事故致死率较高。此外，中国《道路交通事故统计年报（2018 年度）》[2]显示，在中国各种等级公路的路侧事故中，以双车道为主的二级、三级公路的路侧事故发生量占总事故数的 38%，如图 1-4 所示，所占事故比例较大。因此，急需对双车道公路的路侧安全开展相关研究工作。

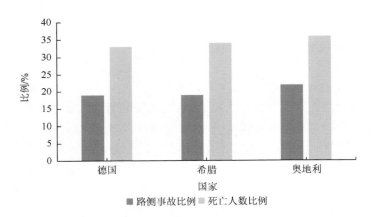

图 1-3　德国、希腊、奥地利的路侧事故分布情况

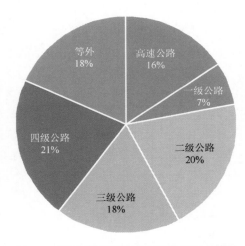

图 1-4　不同等级公路的路侧事故分布情况

一些发达国家（如美国、澳大利亚）认识到提高行为安全、车辆安全是一项长期、艰巨的任务，相关学者通过分析路侧事故的致因机理研究影响路侧事故发生频率和严重度的风险因素，进而从人、车、路、环境等方面入手，通过驾驶人管理、车辆审查和道路优化设计改善路侧安全，降低路侧事故损失。从驾驶人管理、车辆审查角度来看，不良驾驶行为和车辆性能不佳往往是导致路侧事故发生的显著因素。从道路优化设计角度来看，多个设计控制因素对交通安全存在影响，总体上可归纳为包括平、纵、横在内的线形设计和包括路侧净区、路侧护栏和路侧障碍物在内的路侧设计。一般认为，不同的道路线形设计和路侧设计对提高道路交通安全具有不同效果。例如，驾驶人严格管理、车辆定期维护及基于人、车、路的人性化线形设计可消除特定的必然交通事故；宽容的路侧设计则可降低偶然交通事故的发生概率，减轻车辆驶入路侧后的事故损失。

自 20 世纪 60 年代中期至今，美国历年的道路交通事故死亡人数一直在 4 万人上下波动。考虑到美国的机动车数量和行驶里程已增长至原来的 7.5 倍，其亿车英里死亡率（平均每运行 1 亿车英里的交通事故死亡人数）实际上已降低至原来的一半以下。在世界大多数国家和地区，尤其是在亚洲和太平洋等地区的发展中国家交通事故死亡率不断攀升的同时，美国交通事故死亡率下降明显，这主要得益于美国自 20 世纪 60 年代以来，花费 50 多年时间进行完善和推广的到目前已被全社会和全行业广泛接受的宽容的路侧设计理念及相应的规划和设计方法。宽容的路侧设计理念认为驾驶人的过错不应以失去生命为代价，即应为冲出路面的驾驶人提供可以重新控制车辆并返回路面的空间（路侧净区），即使无法返回路面，也会使其某种程度的过失在道路交通系统中被化解，最大限度地降低交通事故的严重程度[5]。路侧净区是公路行车方向最右侧车行道以外、相对平坦、无障碍物、可使失控车辆重新返回正常行驶路线的带状区域，是从行车道边缘开始，车辆驶出路外后能够安全驶回车道的一个宽度范围，全名为路侧净区恢复区域（roadside clear recovery zone），是在美国州际公路大发展时期，道路安全隐患逐步暴露出来时提出的。如今，在高度机动化的国家，大部分公路建设广泛融合了"宽容道路"的设计概念，这反映了路侧设计对于行车安全的重要性。

1.2　国内外研究现状

1.2.1　双车道公路超车安全研究

在双车道公路上，驾驶人利用对向车道进行的超车行为是极其危险的，与发生在道路上的其他交通事故相比，因超车而引发的人员伤亡是较为严重的。鉴于超车造成的交通事故严重性，国内外针对超车行为进行了大量研究。

1. 超车行为分析

关于超车行为的研究主要从车辆速度差、驾驶人特点、超车视距等因素入手，探究影响超车类型、超车次数的因素。Jenkins 和 Rilett 在 20 世纪早期开始研究超车模型，他们根据超车过程中速度的变化，把超车分为快速超车、变速超车及强制超车等多种类型[6]。Brewer 等从美国 8 个地区的 20000 组数据中选出约 3500 份中"单个超车"数据进行超车行为划分，最终得到四类超车行为：第一类超车行为是受对向车辆的影响暂时延迟超车；第二类超车行为是超车过程中发现对向来车从而加速超车；第三类超车行为是先暂时延迟超车再加速超车驶回；第四类超车行为是在对向没有车辆经过的情况下进行的超车[7]。

针对超车过程中涉及的各种参数研究，Polus 等采用视频手段，通过对超车行为的分析，研究确定了各个参数的取值[8]。随后，Carlson 等对上述超车行为分析存在的弊端进行了改进，增加了超车行为的试验内容，并采用对超车行为数据实时观测的手段，使超车行为的数据描述更加准确[9]。Farah 应用驾驶模拟器进行超车行为试验数据的采集，评价了驾驶人因素对超车行为的影响，但并未进行研究结果的有效性验证[10]。上述研究分别从理论和试验两方面分析了道路条件或驾驶人因素对超车行为的影响。另外，还有研究考虑了天气条件及夜间条件对超车行为的影响[11]。

通过在双车道公路的干燥路面和积雪路面上进行超车试验，Munehiro 等探究了路面条件对超车距离、超车速度的影响，发现在干燥路面上的超车速度要大于在积雪路面上的超车速度，且超车距离比在积雪路面上短[12]。周泽民和马超通过分析双车道公路超车事故发现，当交通量较大时，如果驾驶人几次尝试超车失败，则情绪容易变得暴躁、冲动，使他们在超车视距不良时也会选择冒险超车，从而造成交通事故[13]。张慧丽等模拟了在超车视距不同的情况下的双车道公路超车行为，由此获取了超车完成时刻超车车辆与对向车辆之间的"时间距离"，将此作为超车行为危险性的评价指标，并提出了 6 个危险等级，用来衡量设计速度不同的双车道公路在不同超车视距情况下的危险程度[14]。

单晓峰等首先对双车道公路上的超车行为进行了分析研究，提出了在双车道公路上进行超车时存在"两难区域"；其次通过运动学分析提出了"两难区域范围"的概念，分别建立了"两难区域范围"、超车视距与双车道公路的设计速度、下游车队速度和下游车队规模的关系模型；最后基于建立的关系模型，提出了安全条件下对应不同下游车队情况的安全车速和安全视距，得出"当下游车队的车辆数超过 5 辆或设计速度达到 80km/h 时不建议进行超车"的结论[15]。

邵长桥等对双车道公路的超车过程进行了研究，通过开展超车试验收集了相关数据，建立了超车时驾驶人可接受的同向交通流间隙的分布规律模型，并认为其符合二项 Logit 模型。他们通过对不同速度下的两种临界间隙（临界车头间距和临界车头时距）的计算分析，发现驾驶人对距离的敏感程度比对时间的敏感程度强[16]。王润琪等运用数学解析方法，提出了超车视距的计算公式，由此计算了小型客车和货车在不同设计速度与行车速度下的双车道公路超车视距。他们认为当被超车辆和对向车辆的速度小于超车速度的一半时，通过理论计算得到的超车视距数值才和规定的数值相近。从安全角度来看，我国双车道公路的超车视距规定值偏小[17]。

朱秀娟利用昆明理工大学研发的道路交通模拟系统进行了驾驶人超车行为模拟试验，得出了驾驶人行为安全性与"超车开始时刻超车车辆和被超车车辆之间的距离、超车结束时刻超车车辆和被超车车辆之间的距离及超车结束时刻超车车辆和对向车辆之间的距离"这三个影响因子之间的关系模型，并结合主观问卷调查提出了超车行为改善意见[18]。刘江通过开展双车道公路驾驶人超车行为试验，得出了自己定义的"可回车车头时距"和"可超车车头时距"的临界间隙分别在2.8s 和 8s 左右的结论[19]。韩直通过模拟和回归分析，得出了双车道公路的超车次数、速度、延误与交通量的关系模型，最后通过综合分析得出我国双车道公路的通行能力不应大于 600veh/h[20]。

沈建武和严宝杰运用概率论的相关理论知识，建立了双车道公路的"超车可能性"模型，即根据对向车道交通量的大小及视距条件确定双车道公路上可以进行超车的车辆数量和允许被超车的车辆数量[21]。潘晓东等分析了山区公路上坡路段交通事故的主要类型及形成原因，认为设置爬坡车道是减少上坡路段交通事故的有效途径，然后通过分析国内外爬坡车道设置相关方面的资料，提出了我国设置爬坡车道条件的相关建议[22]。

伍光祥和龚先兵通过运用统计学、交通工程及运动学等原理，提出了计算超车视距的"三过程五距离"的方法[23]。荣建等对双车道公路超车问题进行深入研究，建立了两种超车模型，分别为加速超车模型和等速超车模型。他们将快速车辆利用对向车道进行超车的过程分为 4 个步骤来建立超车模型，通过选择超车率、运行速度等道路运行指标进行实测验证，并且分析了道路上的交通量和超车率、运行速度等指标的关系，另外还用超车率表示双车道公路上不同交通量对应的服务水平，通过分级后给出其相应指标的量值[24]。

2. 双车道公路设置超车道

双车道公路上有限的视距与受限制的超车机会导致驾驶人不能随心所欲超车，而驾驶人在长时间跟驰行驶后，容易变得暴躁，进而选择冒险超车，导致交通事故频发，尤其是与对向车辆的正面碰撞居多，这种情况可以通过设置自由超车道得到改善。Neuman 的研究表明，自由超车道的设置会对其下游 5～13km 范围内的交通运行产生影响，而这种影响具有十分明显的安全改善效益[25]。Ghods 和 Saccomanno 的一项研究结果分析表明，与普通双车道公路相比，设置自由超车道的双车道公路的事故伤亡严重性更低[26]。Potts 和 Harwood 的研究发现，设置自由超车道的双车道公路的年英里事故率比普通双车道公路低 12%～24%[27]。在 Harwood 和 John 较早的一项研究中提出了双车道公路设置自由超车道碰撞修正系数的概念，为美国《道路安全手册》中给出的 0.75 的碰撞修正系数[28]奠定了基础[29]。Bagdade 等还对双车道公路设置自由超车道的安全效益进行了评价[30]。

此外，在适当位置设置超车道更被认为是提供更多的超车机会、降低延误和提高道路通行能力的有效手段之一。Ahmed 和 Zachary 在蒙大拿州分别对两种不同设置形式的超车道的上下游进行了现场试验，并将跟驰百分率、跟驰密度和平均运行速度与自由流速度的比值作为研究参数，得出前两个参数对超车道的效益评估更为灵敏，超车道的设置使实测上、下游的跟驰百分率分别降低 33%～43% 和 7%～19%，他们认为超车道的影响长度可达到 16km[31]。

对于双车道公路设置超车道后对其下游交通的影响长度，相关学者已进行过很多研究，并在美国《道路通行能力手册》中提出"有效长度"的概念[32]。Woolridge 等首先对 Kansas 和 Minnesota 的双车道公路进行现场试验，然后通过两车道传递系统（two-lane passing system，TWOPAS）软件进行仿真分析，并得出延误时间百分比随超车道长度的增加而下降，超车道的最佳设置长度在 1.3～3.2km，最佳设置间距在 5.5～17.5km[33]。在加拿大，根据不同省份对设置超车道的规定不同，其规定的超车道长度在 1000～2000m，最小值为 800m，设置间距为 10～25km，并且对合流区、分流区、车道宽度等进行了相应的规定[34]。

韩国学者利用在双车道公路禁止超车段的实测数据对跟驰时间百分比和车流量进行回归分析，通过 TWOPAS 仿真分析中的输入参数，对无附加车道模型与不同长度的附加车道模型进行分析，得出在交通量较大时，超车道的长度至少需要 2km，可使跟驰时间百分比降低 23%，对交通流的运行有较好的提升效益[35]。此外，Russell 等利用现场实测和计算机仿真对超车道的不同设置形式进行分析，表明两侧对接和两侧并列为最优的设置形式[36]。

在美国《道路通行能力手册（2000）》中，采用跟驰时间百分比和排队长度两个参数对超车道的设置效益进行评估，分析认为设置超车道路段的跟驰时间百分比为其上游路段的 58%～62%，影响长度为超车道开始点到下游的 5.5～20km；超车道路段的排队长度为其上游路段的 1.08～1.11 倍，影响长度为 2.7km[37]。美国公路合作研究组织给出设置超车道可使路段的总事故率降低 25%，对其下游 5～13km 范围内的交通运行情况具有明显的改善作用；并认为超车道对交通安全的改善作用能够成功的关键在于正确选择设置地点，因此美国华盛顿州、宾夕法尼亚州和密歇根州等地均采用超车道以改善双车道公路上的交通运行[25]。

德国与加拿大的一项关于超车道和加宽道路的对比分析结果表明，对因环境和建设费用而被否定的四车道公路而言，设置超车道的双车道公路是一个性价比较高的方案；相比于标准双车道公路，设置超车道的双车道公路会使其小时交通量增加 530veh/h（加拿大）和 200veh/h（德国）；超车道使加拿大的双车道公路中某 16km 路段内的行车延误时间减少 7%，超车次数增加 30%；某 30km 路段内的行车延误时间减少 6%，超车次数增加 72%[38]。此外，通过对超车道与原车道在分流区与合流区的标志标线的研究，Charlton 发现分流区的连续实线使更多的慢速车辆停留在原车道，有利于增加超车率，减小拥堵，而合流区的实线则作用相反[39]。关于设置超车道方法的研究，我国只是在较早的一篇文献中介绍了日本超车道的设计理念，并简要分析了设置超车道的最小长度与效益[40]。

1.2.2 双车道公路路侧安全研究

现有研究多基于大量的交通事故数据，通过构建数据统计分析模型探究影响路侧事故风险的显著性因素，进而有针对性地制定路侧安全设计方案和措施。考虑到路侧事故致因和影响路侧事故严重度的风险因素具有差异性，且研究采用的数据统计分析模型不同，故研究学者对两者分别开展了研究。

1. 路侧事故致因

车辆偏离行驶路线的原因有很多，如不恰当地规避车辆、驾驶人注意力不集中或疲劳、高速通过弯道或转向不足等，而道路设计和路侧设计对于人为错误是否会导致事故起着重要的作用。在道路设计方面，2015 年，美国交通安全服务协会（American Traffic Safety Services Association，ATSSA）出版了一本关于各种案例研究的执行手册，为交通从业人员提供了关于路侧事故的安全对策。在这本手册中，路面安全措施被认为是减少路侧事故量的最有效方法[41]。Liu 和 Subramanian 评估了与路侧事故相关的致因因素，得出道路线形和路侧特征对路侧事故的发生频率有显著影响[42]，其中，小半径曲线是导致路侧事故发生的关键因素，大约 30%的路侧事故发生在弯道上。

Lord 等调查了得克萨斯州农村道路的路侧事故数据，调查因素涉及车道宽度、路肩宽度及类型、路侧几何设计、路侧障碍物、平曲线曲率、纵坡坡度、车道数量和路面状况。结果表明，较宽的路肩可以减少平曲线路段路侧事故的发生，当车辆行驶在较窄的车道时，路侧事故发生的频率会增加，因为与其他车辆共用车道的要求增加了发生冲突的概率，而车道数量对路侧事故的影响很小[43]。同样，Ewan 等分析了在交通量较小的公路上，道路线形和路侧特征对路侧事故发生频率的影响，研究表明，道路宽度小于 12ft（1ft≈0.3048m）的公路比标准宽度为 12ft 的公路更容易发生路侧事故；另外，窄路肩或者无路肩的公路比路肩宽度为 4～5ft 的公路发生路侧事故的概率更大[44]。Jiang 等利用零堆积负二项模型探究了不同路肩类型（设置路缘石的路肩、未设置路缘石的硬路肩和软路肩）对路侧事故发生频率的影响，研究得出设置路缘石的路肩不会增加高速道路上发生路侧事故的频率[45]。此外，Lin 和 Ye 证实了路面边缘沉降和湿滑的道路表面容易导致车辆驶入路侧边沟[46]。

在路侧设计的进一步研究中，通过分析华盛顿州的高速公路事故数据，Lee 和 Mannering 使用零堆积负二项模型研究了路侧特征对路侧事故发生频率的影响。研究得到，减少道路两侧树木、增加路肩边缘与灯杆之间的距离，可以减少路侧事故的发生频率[47]。同样，El-Esawey 和 Sayed 通过建立安全性能函数（safety performance function，SPF）将道路线杆位置与路侧事故的发生频率联系起来，研究发现，相对于增加道路线杆间距，增加线杆至道路边缘的横向距离能够显著降低路侧事故的数量[48]。

在车辆因素方面，为了探究路侧事故中电子稳定控制（electronic stability control，ESC）系统功能的有效性，Koisaari 等对装有 ESC 系统的车辆的路侧事故进行了研究，证实了路侧事故中最常见的危险因素是转向错误，且装有 ESC 系统的车辆能够尽量避免发生失控[49]。已有研究指出，ESC 系统能够降低路侧事故中 31%的乘员伤害风险[50]。此外，美国国家公路交通安全管理局（National Highway Traffic Safety Administration，NHTSA）通过评估车辆安全技术，证实了同时配备防抱死制动系统（anti-lock braking system，ABS）和 ESC 系统在减少路侧事故方面的综合效果更明显[46]。同时，随着车辆服役时间的延长，车辆发生路侧事故的风险增加，故改善车辆状况能使每辆车平均一年发生路侧事故的风险降低至少 3%[51]。

在驾驶人因素方面，McLaughlin 等开展了 100 辆车的自然驾驶试验。在试验过程中，当被试车辆通过或接触道路边界（如标记边缘线和路面边缘）时，认定发生路侧事故。分析结果表明，导致路侧事故发生的最常见的因素包括注意力分散、近距离跟随前车等，且 36%的路侧事故由非驾驶任务造成的分心所致[52]。此外，根据事故数据统计，NHTSA 将驾驶人疲劳、饮酒、超速、对道路的熟悉程度和性别列为导致路侧事故的重要因素[46]。在另一项研究中，Shauna 等利用高速公路研究项目的自然驾驶研究数据，评估了驾驶人在农村双车道弯道上的行为。通过使用逻辑回归模型，将驾驶人、道路和环境特征考虑在内，计算车辆侵入路侧的概率，结果表明，车辆向右侧偏离的可能性在弯道内侧比外侧大[53]。

在环境因素方面，为了探究各种因素之间的交互作用对路侧事故的影响，

Shankar 等提出了一种多元统计模型,该模型综合了道路设计、交通、天气等因素,研究得出天气对路侧事故的发生频率有显著影响,且道路积雪量和圆曲线半径之间的交互作用对路侧事故的发生频率影响显著[54]。随后,Rusli 等利用随机参数负二项模型研究道路几何设计、交通和天气因素对山区公路路侧事故的发生频率的影响,并得出结论,即降雨和陡坡因素明显增加路侧事故的发生概率,而铺砌较宽的路肩和设置公路轮廓线能够有效减少路侧事故的发生[55]。因此,在弯道上对几何设计进行改进有助于降低曲率和路侧物体对路侧安全的负面影响。Hosseinpour 等通过开发 7 种交通事故预测模型研究得出,轻型车交通量、路段限速值与路侧事故的发生频率呈正相关,而重型车交通量与路侧事故的发生频率呈负相关[56],可以看出,轻型车更倾向于发生路侧事故。另外,Adanu 等研究发现了路侧事故在周末时间段内的发生频率较高,推测是由于人们在此时间段倾向于酒后驾驶[57]。同时,路侧事故也受区域特点、人口密度和光照条件的影响[58]。上述因素都直接或间接地影响车速的变化,而车速的变化往往会伴随着较高的事故风险。

2. 路侧事故严重度

在开展路侧事故严重度的风险因素识别之前,应首先对路侧事故风险进行分级。例如,Zegeer 等根据路侧净区宽度、路侧边坡坡度、护栏设置情况、路侧障碍物等路侧特征,将路侧事故风险分为 7 级,级别越高表示路侧越危险[59]。Shankar 和 Mannering 通过采集华盛顿州 5 年的历史事故数据,利用多元 Logit 模型将路侧事故严重度分为 5 级,分别是财产损失、可能伤害、明显伤害、重伤、致死[60]。在中华人民共和国交通运输部的西部交通建设科技项目《公路路侧安全评估及防护方法》的研究成果——《路侧安全设计指南》中,根据路侧净区宽度、路侧深度、路侧边坡坡度、路侧净区内的危险物情况等,建议将路侧安全等级划分为 4 级[61]。方勇等从车辆驶入路侧的可能性与路侧本体特征的安全性两个层次建立路侧环境安全性评估模型,以路侧客观特征危险指数为 x 轴、车辆侵入路侧概率为 y 轴构成平面区域,利用模型综合评价指标将路侧安全等级划分为 5 级[62]。路侧事故风险不同等级划分方法并无本质区别,都是根据影响路侧事故风险程度的主要因素来划分级别,都属于定性表述。因此,龙科军等提出了一种基于乘员伤害的路侧事故风险分级方法,利用 VPG3.2 和 LS-DYNA971 有限元仿真软件开展不同车型的碰撞仿真试验,利用 Fisher 最优分割法对路侧事故严重度进行了合理分级[63]。

基于划分后的路侧事故风险等级,相关学者从不同方面开展风险因素的识别研究。在道路因素方面,研究人员主要关注路侧固定物对路侧事故的影响。考虑到路侧固定物对乘员伤害严重程度的影响是不均匀的,因此需要调查分析不同类型物体对乘员伤害结果的影响,以期制定有效的对策。例如,Ayati 等基于证据推理方法提出了一种衡量路侧事故严重度的指标,研究得出沟渠、刚性物体、护栏端头和过渡段、路堤等是影响路侧事故严重度的主要因素。上面提到的指标考虑了决策者的主观评价因素，可作为今后路侧优化设计的参考[64]。此外，文献[65]和文献[66]先后使用多元嵌套 Logit 模型和潜在 Logit 模型评估了车辆与路侧固定物的碰撞事故中影响路侧事故严重度的重要因素，研究发现，桥墩前端、大型树木和线杆增加了发生致命事故的可能性。考虑到多元嵌套 Logit 模型和潜在 Logit 模型局限于风险因素的同质性假设，无法将未观察到的异质性因素纳入研究范畴，Roque 等收集了葡萄牙高速公路的路侧事故数据，为了给模型系数分析增加概率维度，采用改进的多项式和混合 Logit 模型对数据进行分析，研究结果表明，陡峭斜坡和小半径曲线路段更易发生路侧致命事故[67]。

Daniello 和 Gabler 对美国 2004～2008 年的 3600 起机动车与路侧固定物的碰撞事故进行分析，认为车辆与路侧固定物碰撞的致死风险要远高于与地面相撞，其中，与护栏和树木相撞的致死概率分别是与地面相撞的 7 倍和 15 倍[68]。文献[69]的研究也表明，与树木相撞是致残和致命伤害增加最多的原因。为了专门研究路侧行道树事故中乘员的损伤情况，Cheng 等利用 PC-Crash 软件开展不同车型与路侧树木的碰撞仿真试验，将加速度严重性指数（acceleration severity index，ASI）、头部损伤标准（head injury criteria，HIC）和胸部合成加速度（chest resultant acceleration，CRA）作为乘员伤害指标。研究结果表明，路侧行道树间距越大，车辆遭受二次碰撞的概率越小，乘员伤害风险越低[70]。

在车辆因素方面，Chen 和 Chen 采用混合 Logit 模型，通过对驾驶人、车辆、事故时间、道路、环境和事故特征等关键危险因素的评价，开展农村公路路侧事故中货车驾驶人伤害严重度的研究[71]。Jiang 等利用有序 Probit 模型研究隧道口处的路侧事故严重度，认为重型货车更倾向于发生严重的路侧事故[72]。因此，Yau 通过逐步 Logistic 回归模型确定了香港地区不同车型的路侧事故风险因素。例如，车辆服役时间、事故时间及夜间照明情况对小型客车的路侧事故严重度有显著影响，安全带是否使用和事故是否发生在工作日对货车的路侧事故严重度有显著影响[73]。

在驾驶人因素方面，Rezapour 等利用有序 Logit 模型研究得出，酒精、性别、安全带使用、驾驶人行为均影响路侧事故严重度[74]。文献[75]和文献[76]先后采用有序 Probit 模型、潜在类分析和混合 Logit 模型对机动车驾驶人的伤害严重度进行了研究，结果表明，驾驶人年龄≥65 岁、超速、酒后驾车、吸毒、超车行为、夜间驾车、行车操作不当及应急转弯与路侧事故严重度有关，而路面条件（如潮湿、油性或沙质表面）与路侧事故严重度关系不大。Arora 等研究了印度的路侧事故与饮酒的关系，结果表明，23%的死亡路侧事故中驾驶人在发生事故前曾饮酒，受害者年龄大部分在 21～40 岁[77]。文献[78]利用多项 Logit 模型和混合广义有序 Probit 模型估计了不同年龄驾驶人在路侧事故伤害程度方面的差异性，在进一步的研究中，文献[79]证实了年轻驾驶人更倾向于发生严重的路侧事故。此外，Wu 等通过收集新墨西哥州农村和城市地区发生的路侧事故数据，利用嵌套 Logit 模型和混合 Logit 模型研究得出，不同区域、不同性别的驾驶人对路侧事故严重度的影响同样存在显著差异，与女性相比，男性驾驶人更倾向于发生严重的路侧事故[80]。

在环境因素方面，Yuan 等通过收集北京地区发生的严重路侧事故，研究得出路侧事故发生时间、发生日期、乘员数量是影响路侧事故严重度的重要因素，且夜间行车、路侧事故发生在工作日、单人驾车与致死路侧事故显著相关，并由此针对严重路侧事故提出了相应的安全对策[81]。Li 等利用有限混合随机参数方法，深入探究了在低能见度天气下不同变量对驾驶人伤害严重度的影响[82]；在进一步的研究中，Li 等使用潜在类分析和混合 Logit 模型研究得出，车辆行驶在农村道路上更倾向于发生严重的路侧事故，随后分析了降雨天气下的路侧事故数据，模型估计结果表明，半挂车驾驶人在路侧事故中受到严重伤害的概率较低[83]。上述研究成果可为制定相应的对策以减轻驾驶人在恶劣天气下的事故伤害提供借鉴和参考。

3. 路侧安全设计

为了减少路侧事故损失，20 世纪 60 年代末，路侧安全设计（即行车道以外区域的设计）成为公路设计讨论的热点，随之提出的路侧净区的概念首次出现在美国公路研究委员会（Highway Research Board）的一篇会议论文中，并于 1965 年 5 月被正式写入美国的《公路安全设计手册》，经 1973 年和 1978 年的两次改版，被纳入公路项目建设应用中。在 1989 年，美国各州公路及运输工作者协会（American Association of State Highway and Transportation Officials，AASHTO）出版了《路侧安全设计指南》第一版，并分别于 1996 年、2002 年、2006 年和 2011 年出版了《路侧安全设计指南》第二版、2002 版、第三版和第四版。

根据《路侧安全设计指南》第四版中对路侧净区的定义[5]，路侧净区应为失控车辆提供足够宽度的容错空间，且区域应具备平缓的路侧边坡、不应存在障碍物。当进行路侧净区设计时，如何根据不同区域特性、道路特征和交通状况确定路侧净区的宽度、坡度，以及如何处理路侧区域内的现有障碍物，以保障冲入路侧的车辆事故损失最小，成为学术界历来关注的话题。

在路侧净区宽度方面，美国的《路侧安全设计指南》第四版中给出了直线路段路侧净区宽度建议值及平曲线路段的修正系数（依据圆曲线半径选取），直线路段路侧净区宽度建议值的选取依据包括设计速度、平均日交通量、路侧边坡形式（填方或挖方）、路侧边坡坡度[5]，其研究成果目前在国际上被广泛采用。考虑到《路侧安全设计指南》第四版中的路侧净区宽度建议值是基于有限的经验数据推理得到的，虽然这些经验数据为大部分国家的公路建设提供了路侧安全设计参考，但每个国家的公路网特征、汽车保有量、驾驶行为、路侧障碍物分布特征和社会经济水平存在较大差异，故各个国家的研究人员根据不同国情，因地制宜地开展了路侧安全设计研究。

中国的《公路项目安全性评价规范》（JTG B05—2015）给出了填方路基与挖方路基的路侧安全净区宽度的图解法，直线路段的选取依据包括运行速度、单向年平均日交通量（annual average daily traffic，AADT）；曲线路段需根据圆曲线半径及运行速度选取修正系数。澳大利亚的研究学者认为，从路缘石边缘开始至少 2m 的路侧净区宽度可以显著减轻车辆离开道路的事故严重度[84]。Sax 等研究认为，4～5ft 的路侧净区宽度可以减少 90%的碰撞路侧固定物的事故数量[85]。范晓秋和邢莹莹分析了路侧净区宽度设计的主要影响因素，包括驾驶人的反应时间、车辆离开道路的状态及车辆在路侧净区内的行驶距离，建立了路侧净区宽度计算模型，并给出了路侧净区宽度建议值[86]，但其基本假设是路侧边坡为平坡，与实际情况不符。英国对增加路侧净区宽度与和路侧相关的事故数量的关系进行了研究，发现随着路侧净区宽度值的增大，与路侧相关的事故数量会逐渐减少[87]。但 Jurewicz 和 Pyta 的研究表明，即使路侧设置宽达 29.5ft 的净区，仍然会发生大量的路侧事故[88]。通过大量的路侧事故深度调查数据和计算机模拟得出，当车辆失去控制时，如果没有受到路侧障碍物的阻拦，车辆将行驶超过 29.5ft 的距离[89]。为此，在关于驾驶人行为的研究中，Fitzpatrick 等对路侧净区宽度和路边植被密度两种变量进行组合，探索了两种变量在车速和横向位置方面对驾驶人行为的影响。结果表明，路侧净区越宽，驾驶人的速度越快。此外，随着路侧净区宽度的增加，驾驶人往往会更靠近道路边缘行驶[90, 91]。

在路侧边坡坡度方面，Zegeer 等研究得出，通过将路侧边坡坡度从 1:2 调整到 1:7 或更缓，可以减少 27%的侧翻事故[59]，并在进一步的研究中表明，路侧边坡坡度对单车交通事故影响显著，路侧边坡坡度从 1:3 降到 1:7 或更平坦，交通事故率稳定下降，而路侧边坡坡度从 1:2 降到 1:3，交通事故率几乎不受影响，结果认为缓于 1:5 的路侧边坡坡度是降低交通事故率的有效措施[92]。《路侧安全设计指南》第四版中给出了路侧边坡坡度的设置标准，如图 1-5 所示[5]。将坡度等于或缓于 1:4 的路侧边坡认定为可返回边坡，坡度介于 1:4～1:3 的路侧边坡认定为不可返回边坡。另外，当路侧不具备可返回边坡的设置条件时，可在不可返回边坡的坡脚处设置额外的缓冲区域以减小失控车辆的事故损失，且规定该区域的路侧边坡坡度应等于或缓于 1:6。中国的《公路项目安全性评价规范》（JTG B05—2015）认为当填方路侧边坡坡度陡于 1:3.5 时，不能作为有效安全净区；当填方路侧边坡坡度在 1:5.5 和 1:3.5 时，1/2 宽的路侧边坡可作为安全净区；当填方路侧边坡坡度缓于 1:6 时，整个坡面宽度均可作为安全净区。但上述规定仅是借鉴引用美国的研究成果，并未给出其理论依据。

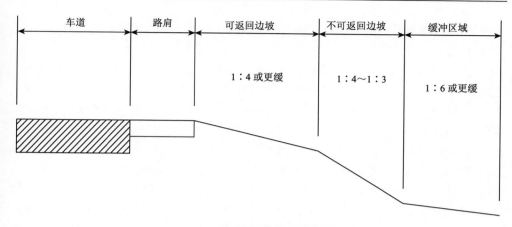

图 1-5　路侧边坡坡度设置标准

　　在路侧护栏设计方面，路侧护栏作为一种路侧防护设施，可以有效减少严重路侧事故的发生。相关研究显示，车辆与路侧护栏相撞的严重程度低于车辆发生侧翻或与路侧线杆碰撞的严重程度[93]。为了充分发挥路侧护栏在路侧事故中的防护作用，Johnson 等通过收集车辆偏离道路的事故中真实的车辆轨迹，对《路侧安全设计指南》第四版中规定的路侧护栏防护水平进行了改进[94]。Rosenbaugh 等开发了一种高度增加的引道护栏过渡段，并根据 AASHTO《安全硬件评估手册》的测试标准，通过两次全尺寸碰撞试验对引道护栏过渡段进行了安全性能评估[95]。针对不同类型的路侧护栏结构，Lee 等对三种不同立柱结构的 W 型路侧护栏的车辆碰撞性能进行了评价。根据路侧护栏的立柱类型，从最大挠度、吸收冲击能量和乘员风险指数等方面对其进行了动态性能测试[96]。Ferdous 等针对设置中间缆索护栏和路侧缆索护栏的路段，通过搜集事故数据来评估路侧事故的碰撞伤害。研究结果表明，中间缆索护栏和路侧缆索护栏能够分别减少约 34.8% 和 46.6% 的致命路侧事故；此外，在路侧护栏使用 2～5 年后，其安全性能的变化更趋于稳定[97]。Zou 等采用混合效应的二元 Logistic 回归模型，评估了车内乘员在单车碰撞事故中面临的伤害风险。研究结果显示，在道路和交通条件允许的情况下，波形梁护栏的防护效果优于混凝土墙，缆索护栏的防护效果优于波形梁护栏[93]。

　　针对不同的道路特征和路侧环境，为了确定合理的路侧护栏防撞等级，陈慧等采用层次分析法（analytic hierarchy process，AHP）建立了路侧护栏防撞等级决策方法，并在综合考虑路侧横向净距、路侧边坡情况及路侧护栏变形等因素后提出了路侧护栏形式的选择方法[98]。韩海峰等基于 UC-win/Road 软件进行了不同车速下的紧急避让驾驶模拟试验，并结合 Adams/Car 车路耦合模型建模仿真，通过回归分析建立了碰撞速度、碰撞角度与圆曲线半径及转向、运行速度、硬路肩宽度的相关模型。分析结果表明，应根据道路线形特征及其运行速度，确定合理的路侧护栏防撞等级[99]。《公路交通安全设施设计规范》（JTG D81—2017）中将路侧护栏防撞等级从低到高分为一～八级，规定根据路侧事故严重度等级（低、中、高三级）选取路侧护栏防撞等级；《公路交通安全设施设计细则》（JTG/T D81—2017）则进一步细化了不同等级的路侧事故严重度对应的情况，但其主要考虑的是路侧设施及障碍物，并未考虑车辆冲入路侧后的运动状态及可能的受损情况（关系到乘员的损伤程度）。

在路侧交通设施防护和优化设计方面，相关研究得出，35%的路侧事故伤害由不恰当的路侧设计造成，如存在无法穿越的障碍物、端头设计尖锐的路侧交通设施等[100]。因此，路侧区域的危险物要么被清除，要么被转移。当危险物无法被移除或重新安置时，需要确定是否要对其重新设计或加装安全辅助设施，如通过对路侧灯杆、线杆、金属固定物等采用解体消能分离设计，来吸收车辆与之碰撞时瞬间产生的能量，从而起到良好的缓冲作用；在树木、乱石等危险物周围设置警示标志或者在其周围布设防护设施（护栏或缓冲垫），可以有效减少38%以上的路侧事故[101]。Holdridge 等分析了华盛顿州城市地区的路侧安全防护设施的服役性能。该研究显示了路侧安全防护设施的端头对路侧事故致命伤害具有显著影响，强调了使用设计良好的端头的重要性，并建议升级与桥梁和其他危险物相邻的路侧安全防护设施端头的设计标准[66]。

在路侧净区设置方法方面，美国的《路侧安全设计指南》第一版中提出了一种路侧安全效益/成本分析系统（roadside safety benefit/cost analysis system，RSBAS），用于特定路段的路侧设计决策[102]。事实上，在制定路侧安全防护措施时，公路设计工程师需要权衡道路使用者的伤亡风险与安装和维护路侧安全防护设施的成本。《路侧安全设计指南》2002 版公布后，在美国国家合作公路研究计划（National Cooperative Highway Research Program，NCHRP）22-9 和 22-9（2）项目的基础上，开发了首款用于评估路侧安全改善效益的路侧安全分析系统（roadside safety analysis program，RSAP）。该系统设计基于"车辆侵占路侧"的方法，并融合了两种完整的程序：主分析程序，包含了成本-效益程序和算法；用户界面程序，为数据输入和结果审查提供了一个人性化的使用环境。与 RSBAS 相比，由于 RSAP 采用了数据随机解决处理方法而不是确定性处理方法，在车辆驶入路侧和最终发生交通事故的概率分配方面有了很大的改进[103]。

此外，Ayati 和 Shahidian 通过平衡路侧区域面积增大而带来的施工成本与安全改善效益，给出了最优路侧开挖宽度。研究表明，在圆曲线半径小于 195m 的弯道中，较宽的路侧恢复区域是影响路侧安全的重要因素[104]。考虑到土地资源的紧缺性，Ayati 和 Shahidian 通过对有限资源的调查，以图表的形式展现了不同路侧安全方案之间有限资源的合理分配。根据制定的图表，道路设计者和规划者能够从经济与路侧安全两方面考虑，在设置路侧护栏和路堤缓坡之间做出选择[105]。

Roque 和 Cardoso 通过列举一系列路侧安全防护措施，考虑 AADT、平均碰撞成本、折现率等因素，研究了采取各种措施带来的综合安全效益（阻止事故的比例），以及产生的投资成本、运行成本和维护成本，根据提出的效益成本比在各种方案之间做出选择，并由此开发了一种计算机辅助程序[106]。

1.2.3　研究现状评述

1. 双车道公路超车安全方面

国外关于双车道公路超车行为的研究成果对本书的研究具有借鉴价值，但是，由于我国驾驶人的驾驶行为特性与国外存在显著差别，并不能直接应用。而且，如何对双车道公路超车行为的安全性进行定量评价，国外也缺少相应研究。另外，关于双车道公路设置自由超车道的研究充分说明了设置自由超车道对保障行车安全的作用，而考虑到我国的实际情况，所要研究的附加车道与国外研究的自由超车道十分相似，只是附加车道供慢速车辆使用，而快速车辆则通过原车道进行超车，所以，附加车道的作用与自由超车道相同，可见设置附加车道的安全效益与自由超车道一样。但是国外的研究仅限于设置自由超车道的安全效益，并未对其设置条件展开深入研究。而对于我国的双车道公路在何种情况下设置附加车道，迫切地需要开展基础理论研究。

国内的相关研究表明，双车道公路上的交通量达到一定程度后，驾驶人可超车的机会大大减少，如果驾驶人几次尝试超车失败后，情绪容易变得激动、暴躁，此时，驾驶人冒险超车的可能性急剧上升，超车危险性也随之增加。但国内关于双车道公路超车行为的研究只局限于理论研究，如对应不同超车视距长度的超车风险评估、下游车队规模对应安全超车的速度限制和视距要求、超车视距的计算、驾驶人对车头视距和车头间距的敏感程度、针对驾驶人的超车行为的改善意见、可回车和可超车的临界车头时距的计算、对应不同交通量和视距状况的超车与被超车车辆数及双车道公路的通行能力的计算等。这些针对超车行为的研究只能为双车道公路的超车过程研究提供一定的参考和借鉴价值，但是不能在实际中进行应用，所以需要进行可以应用于现实中的、能够提高双车道公路超车行为安全的相关研究。

国外关于设置自由超车道的安全改善效益及效率提升效益的研究充分证明了自由超车道的作用，但大多的研究成果均基于事故统计和现场观测，对双车道公路上一定道路和交通环境下的事故发生概率、设置自由超车道后的安全改善效益及效率提升效益预测还未有成熟的研究成果，给工程应用带来了不便。此外，国外对自由超车道的设置因素的分析较为成熟，然而由于我国附加车道供慢速车辆行驶，在设置长度等方面与国外有一定差异，且对于自由超车道的设置间距的规定，国外也只是给出一个较大的范围，并未给出在具体条件下最优长度的设置理念和计算方法，而这是工程应用中必须确定的参数。因此，对我国双车道公路上附加车道安全效益的定量评价、适用性分析和设置因素的研究具有重要意义。

综上，目前针对我国双车道公路附加车道的设置条件的研究还不够深入，需要通过对我国双车道公路上的驾驶人超车行为进行研究和安全性评价，以获得我国双车道公路附加车道的设置条件。此外，我国在双车道公路上设置附加车道后的安全改善效益、效率提升效益及对应不同条件下的适用性分析和设置因素分析等仍需要进一步的理论研究，研究成果可为公路规划、设计、建设与管理部门提供规划设计依据与决策参考，以降低双车道公路超车的危险性，提高行驶安全。

2. 双车道公路路侧安全方面

虽然各国学者对公路路侧安全的研究已经取得了一定的成果，但当前的研究水平与实际的应用需求之间还存在较大的差距。到目前为止，针对双车道公路尚缺乏一套合理而有效的路侧安全设计方法，在以下几个方面仍需进一步深入研究。

（1）路侧事故致因方面。研究人员主要依据路侧事故数据，通过构建和改进各种统计回归模型来预测路侧事故数和路侧事故发生频率，研究影响路侧事故发生的关键因素，进而开展路侧事故致因分析，但较少涉及路侧事故的概率预测。由于路侧事故的发生原因错综复杂，相关研究主要侧重对驾驶人、车辆、道路、环境等方面开展路侧事故致因分析，但往往考虑的致因因素不完备。此外，根据路侧事故数或路侧事故发生频率预测获得的研究成果往往受不同地域、交通特性等因素影响，并不具备普适性。考虑到路侧事故发生概率更能够表示路侧事故的多发程度，因此，有必要开展路侧事故发生概率的预测。目前广泛使用的各种统计回归模型能够根据大量的路侧事故数据预测路侧事故数或发生频率，但并不适用于路侧事故发生概率的计算。另外，目前尚缺乏针对路侧事故多发点的判别方法，少量研究利用传统的交通事故多发点的判别方法甄别路侧事故多发点，但考虑到与其他类型的交通事故相比，路侧事故的致因机理存在差异性，传统的判别方法是否适用于路侧事故还有待进一步验证，因此，在路侧事故潜在多发点方面，目前尚缺少成熟、有效的鉴别方法。

（2）路侧事故严重度方面。研究人员主要基于大量路侧事故数据，通过评估路侧事故中乘员伤害来探究影响路侧事故严重度的关键因素，虽然符合客观事实，但是考虑的影响因素不完备，并且得到的研究成果同样受不同地域因素的影响，不具备普适性。此外，路侧事故乘员伤害风险评估手段或采用专家打分法，无法保证客观性，或偏重对路侧危险物的研究，没有考虑路侧边坡坡度与高度的影响，并且鲜有涉及路侧护栏对乘员伤害影响的量化分析研究。由于影响乘员伤害风险的因素众多，加之因素间的相互关联，针对具体的道路状况和路侧特征，难以直接应用上述方法来评估发生路侧事故时的乘员伤害风险，很大程度上仍离不开设计、研究人员的经验判断。

（3）路侧安全设计方面。关于公路路侧净区的设计成果，鲜有与路侧边坡综合考量收益的探讨，这与实际情况不符。土地资源匮乏，以及征地、拆迁带来的社会稳定问题，导致宽容的路侧设计理念难以在所有地区有效实施，因此应结合路侧事故的发生概率、不同等级公路的用地指标、建设成本、安全效益等因素有针对性地设置路侧净区，而现行的相关技术标准，如《公路工程技术标准》（JTG B01—2014）与《公路路线设计规范》（JTG D20—2017），对路侧净区的设置条件规定尚处于空白。此外，如何针对路侧事故多发点设置合理的最高车速限制，对此并无相关报道。

中国的《公路项目安全性评价规范》（JTG B05—2015）借鉴美国的研究成果，将路侧净区宽度分为计算净区宽度和实际净区宽度，给出了根据运行速度和单向AADT 求解直线段净区宽度的图解法，曲线段净区宽度则根据平曲线半径、运行速度在图上查取调整系数来修正；并规定了可作为有效边坡坡面宽度的边坡坡度值。该方法存在的问题包括：①AADT 与路侧事故的发生概率相关，但不应作为确定路侧净区宽度的依据；②未考虑车型、纵坡坡度、超高横坡度、路肩及边坡附着系数等因素的影响；③图解法的求解精度受限，无法精确计算路侧净区宽度；④缺少有效坡面宽度与边坡坡度之间的量化关系表述，对实际净区宽度的判定不够精确。因此，在公路路侧安全设计方面，尚缺少路侧净区宽度的精准量化计算方法及基于成本-效益分析的路侧净区设置条件的研究。

综上，在路侧事故致因方面，尚缺乏针对路侧事故发生概率的定量分析研究，以及专门用于路侧事故多发点的鉴别方法；在路侧事故严重度方面，尚没有成熟的能够进行定量评估乘员伤害风险的方法；在路侧安全设计方面，尚未考虑涉及路侧净区宽度的精准量化计算方法及基于成本-收益分析的路侧净区设置条件问题。因此，如何在理论分析的基础上提出合理而有效的双车道公路路侧安全设计方法，从而降低路侧事故的发生概率与严重度，是今后需要解决的重要课题。

1.3　本书的主要内容

结合目前国内外的研究现状，通过调查分析双车道公路交通运行环境与事故特征，本书系统介绍了双车道公路交通事故风险评价与安全设计方法的研究成果，主要包括双车道公路超车事故风险评价、双车道公路路侧事故发生概率预测与风险评价、双车道公路附加车道设计方法、双车道公路路侧净区与安全边坡设计方法、双车道公路路侧解体消能标志设计方法、双车道公路最高车速限制方法，每一部分内容的具体介绍如下。

1. 双车道公路超车事故风险评价

根据双车道公路超车的实际经验，将双车道公路的超车冲突时间 T_c 作为风险指标，选择合适的试验路段，通过对 15 位驾驶人的超车行为进行观察，并对超车过程中的关键时间节点、各个时间节点对应的速度及对向车道的交通情况进行记录，开展实车试验。

根据收集的实车试验数据，利用多元回归分析拟合了超车冲突时间 T_c 与设计速度和交通量的关系模型；通过 Fisher 最优分割法确定了双车道公路超车事故风险的合理评价级数及各级对应的 T_c 阈值，给出基于超车冲突时间的超车事故风险评价方法。

2. 双车道公路路侧事故发生概率预测与风险评价

根据双车道公路路侧事故的现场勘查和分析经验，选取公路线形指标（圆曲线半径、硬路肩宽度、纵坡坡度、超高横坡度、圆曲线加宽）、路面状况（路面附着系数）、交通特性（车速、车型）等 8 个风险因素开展双车道公路路侧事故仿真试验。根据收集到的仿真数据，通过卡方自动交叉检验（Chi-squared automatic interaction detector，CHAID）决策树技术分析各因素指标与路侧事故风险程度的内在关系，筛选确定双车道公路路侧事故的显著性风险因素。在识别路侧事故显著性风险因素的基础上，利用路径分析方法开展"线形条件-路面条件-交通条件"多指标交互作用下的公路路侧事故系统致因机理的分析，探究不同显著性风险因素对路侧事故的影响程度。

基于识别的双车道公路路侧事故显著性风险因素，将车速、圆曲线半径、车型、路面附着系数、硬路肩宽度和纵坡坡度纳入双车道公路路侧事故的条件概率计算中，通过构建双车道公路路侧事故的发生概率与风险显著性影响因素指标间的多元关系模型，从而实现对路侧事故的发生概率在多因素指标影响下的量化分析。基于构建的路侧事故发生概率计算模型，开展路侧事故多发点的判别研究。将路侧事故发生概率明显高于其他位置的公路点段认定为路侧事故多发点，分析给出对应不同交通组成及运行车速的公路线形指标及路面附着系数阈值，据此提出双车道公路路侧事故多发点的判别方法。

将 ASI 作为乘员伤害评价指标，通过设置不同车型、车辆驶出车速、圆曲线半径及路侧环境指标（路侧边坡坡度、路基高度、路侧护栏），开展路侧事故仿真试验，通过收集车辆在不同碰撞形态下的动力学参数（纵向加速度、横向加速度），构建双车道公路的乘员伤害评价指标与交通组成、运行速度、圆曲线半径及路侧环境指标间的关系模型。

根据乘员的损伤情况来量化双车道公路路侧事故的严重程度，基于构建的双车道公路路侧事故乘员伤害评估模型，并结合我国交通事故中的乘员损伤划分准则，研究给出双车道公路路侧事故严重度的合理等级划分（轻度受伤或未受伤、中度受伤、重度受伤和死亡），以及对应各严重度等级的 ASI 指标阈值，据此提出基于路侧事故发生概率和路侧事故严重度等级划分的双车道公路路侧事故风险评价方法。

3. 双车道公路附加车道设计方法

运用回归分析，给出了对应不同设计速度和不同安全等级的设置双车道公路附加车道的交通量条件。以理论分析为基础，分别给出了可以不设置附加车道的双车道公路的富裕道路宽度临界值及设置附加车道的下坡坡度临界值。以净效益大于零为目标函数，给出对应不同交通量及地形条件的双车道公路附加车道合理设置间距计算方法。

基于交通仿真数据，构建了双车道公路附加车道的等宽段长度与交通量、行驶车速的关系模型，结合不同设计速度与地形条件下的双车道公路设计通行能力分析，计算给出了对应不同设计速度与地形条件的双车道公路附加车道的等宽段长度建议值。基于车辆行驶的安全性分析，计算给出了对应不同设计速度的双车道公路附加车道的宽度建议值；基于汽车上坡行驶时的受力分析，计算给出了对应不同设计速度与海拔的双车道公路附加车道的最大纵坡度建议值。

4. 双车道公路路侧净区与安全边坡设计方法

探究影响双车道公路路侧净区宽度设计的主要因素，包括路肩宽度、边坡坡度、制动反应时间、制动减速度、驶出速度和驶出角度。通过设置不同的车辆运行速度和圆曲线半径，开展车辆驶入路侧的仿真试验，记录每次车辆驶入路侧后的运动轨迹，标定车辆右前侧与行车道边缘的横向距离来确定路侧净区宽度，分别给出直线段和曲线段净区宽度针对不同运行速度和圆曲线半径的双车道公路路侧净区的宽度建议值。

由于我国土地资源受限，在进行路侧净区设置前，应对路侧净区的设置条件开展研究。考虑到双车道公路用地指标的限制（关系到路侧边坡净区用地范围），根据路段路基高度、硬路肩宽度，结合研究得到的路侧净区的宽度建议值，开展双车道公路路侧净区设置条件的研究。对于具备路侧净区设置条件的路段，首先根据路侧事故概率预测模型与路侧事故乘员伤害风险评估模型，构建由于设置路侧净区而产生的安全改善效益计算模型；其次从工程造价和征地费用两方面核算设置路侧净区产生的额外工程成本；最后通过分析效益成本比，进一步评估设置路侧净区产生的社会稳定风险，建议是否应该设置路侧净区。

对于不具备路侧净区设置条件或不建议设置路侧净区的双车道公路路侧事故多发点，考虑到车辆冲出路外后时刻面临着侧翻的风险，为了使路侧边坡充分起到缓冲的安全作用，保证驶入路侧的车辆能够安全停驶，通过记录车辆在不同驶出速度、圆曲线半径、路基高度、边坡坡度下驶入路侧后的运动状态，提出对应不同交通组成、运行速度、圆曲线半径和路基高度的双车道公路路侧安全边坡设计方法。

5. 双车道公路路侧解体消能标志设计方法

通过借鉴国外路侧解体消能标志的设计标准，对路侧解体消能标志进行受力分析，结合我国现实情况，提出了适合我国的双车道公路路侧解体消能标志设计指标。

根据路侧解体消能标志的设计思路，结合交通标志的材料特性，把解体消能标志的杆柱与底座间的连接方式分为塑性连接、脆性连接和刚性连接三类，并利用 AHP 对不同类型的连接方式进行了综合评价，然后对解体消能标志的杆柱及上部铰接进行了研究。

利用有限元方法和 ANSYS 软件，建立了解体消能标志模型，计算其受到的荷载组合，对设计的两种解体消能结构进行建模模拟，并对结果进行分析，验证了设计指标和设计方法的准确性。

6. 双车道公路最高车速限制方法

基于识别的路侧事故显著性风险因素，通过构建路侧事故判别函数，针对小型客车和载重货车，提出对应不同圆曲线半径、路面附着系数、硬路肩宽度和纵坡坡度的双车道公路的最高安全车速计算模型，并予以案例验证。

通过探究道路平面线形、平纵组合线形与交通安全之间的关系，结合双车道公路特殊路段（平曲线路段和弯坡组合路段）划分方法，利用最高安全车速计算模型分别计算给出对应不同硬路肩宽度（0.75m 和 1.5m）和路面条件（干燥路面和冰雪路面）的双车道公路平曲线路段与弯坡组合路段的车速限制建议值。最后，通过介绍不同的限速形式和限速措施，提出双车道公路特殊路段限速方案。

第 2 章　双车道公路交通运行环境与事故特征

本章通过查阅相关文献、标准和规范，并结合交通事故的现场调查和统计资料，整理分析我国的双车道公路线形特征、路侧环境特征、交通流参数特征和交通事故特征。根据双车道公路交通运行环境与事故特征，提出双车道公路交通事故风险评价与安全设计方法。

2.1　双车道公路线形特征

依据《公路路线设计规范》（JTG D20—2017）和《公路工程技术标准》（JTG B01—2014）相关规定，本节从平面、纵断面和横断面三方面介绍我国的双车道公路线形特征。《公路工程技术标准》（JTG B01—2014）对双车道公路等级进行了划分，根据技术参数的差异，分为二级、三级和四级公路。二级、三级公路基本为双车道公路，四级公路可为双车道或单车道公路。考虑到四级公路主要作为支线公路，双车道公路所占比例较少，二级和三级公路主要为集散和次要干线公路，基本均为双车道公路，故本节主要基于二级和三级公路中的双车道公路技术参数进行介绍。

2.1.1　平面

双车道公路平面线形由直线、圆曲线和缓和曲线等线形因素组成，缓和曲线应采用回旋线。双车道公路平面线形必须与地形、景观、环境等相协调，同时注意线形的连续与均衡性，并与纵断面、横断面相互配合。

1. 直线

直线是双车道公路平面线形的基本因素之一，具有方向明确、布线容易、距离最短的特点，在线形设计中使用频率很高。一般来说，直线过长或过短都会使事故率偏高。直线过短使驾驶人转弯操作频繁，工作强度大，线形的过快变化也容易诱发事故，另外，直线过短在线形组合上不合理，容易形成引起驾驶人视线错觉的"断背曲线"，对安全极为不利；直线过长对交通安全的影响来自驾驶人的视觉反应和心理承受能力，由于线形过分单调，容易引起驾驶人疲劳、反应迟钝、判断出错，遇到突发情况来不及反应而造成车祸。德国的研究成果表明，驾驶人在直线上正常行驶超过 70s 后就会感到单调。如果不需要超车，4.8km 的直线就会使驾驶人感到烦躁，甚至打瞌睡，进而带来灾难性的后果。过长的直线还容易使驾驶人产生趋驶心理，想尽快驶出直线段，不知不觉中造成超速行驶。因此直线不宜过长，直线一般不长于设计速度的 20 倍，否则会带来不利影响。

2. 圆曲线

一般利用汽车在曲线上行驶的力学理论来确定圆曲线最小半径。由汽车行驶理论可知，汽车行驶的横向稳定性先于纵向稳定性，因此圆曲线半径的确定主要依据汽车行驶的横向稳定性（滑移、倾覆），其最小值根据汽车在弯道外侧行驶时所受的离心力和车重在平行于路面方向的分力等横向力，不超过轮胎与路面间的横向附着力，并考虑乘车人员是否舒适而定。其中，极限最小半径通过式（2-1）来确定：

$$R = \frac{v^2}{127(\mu + i_1)} \qquad (2\text{-}1)$$

式中，R 为圆曲线半径，m；v 为设计速度，km/h；μ 为横向力系数；i_1 为超高横坡度，%。

式（2-1）中的横向力系数是通过测试小型客车、大型客车、大中型货车的乘车人在运行时舒适度的感受数据，运用心理学方法和统计方法分析整理得出各种车型在不同行驶速度下对应的横向力系数阈值，同时考虑当车辆在曲线上稳定行驶时，其横向力系数不能超过路面与轮胎之间的横向摩阻系数，综合平衡二者后确定的。双车道公路不同设计速度的圆曲线最小半径的取值规定如表 2-1 所示。

表 2-1　圆曲线最小半径

公路等级	设计速度/(km/h)	最大超高对应的圆曲线最小半径/m				不设超高对应的圆曲线最小半径/m	
		10%	8%	6%	4%	路拱≤2.0%	路拱>2.0%
二级公路	80	220	250	270	300	2500	3350
	60	115	125	135	150	1500	1900
三级公路	40	—	60	60	65	600	800
	30	—	30	35	40	350	450

3. 缓和曲线

当双车道公路的直线与小于表 2-1 中不设超高对应的圆曲线最小半径的径向

连接处时，应设置缓和曲线。此外，在半径不同的同向圆曲线的径向连接处应设置缓和曲线，但符合下列条件可不设置缓和曲线。

（1）小圆半径大于表 2-1 中的规定。

（2）小圆半径大于表 2-2 中的规定，且符合下列条件之一者：①小圆按最小缓和曲线长度设置缓和曲线，大圆与小圆的内移值之差小于 0.1m；②设计速度等于 80km/h，大圆半径与小圆半径之比小于 1.5；③设计速度小于 80km/h，大圆半径与小圆半径之比小于 2.0。

表 2-2　复曲线中小圆的临界圆曲线半径

公路等级	设计速度/(km/h)	临界圆曲线半径/m
二级公路	80	900
	60	500
三级公路	40	250
	30	130

其中，双车道公路设置缓和曲线的最小长度应符合表 2-3 的规定。

表 2-3　缓和曲线的最小长度

公路等级	设计速度/(km/h)	缓和曲线的最小长度/m
二级公路	80	70
	60	50
三级公路	40	35
	30	25

4. 圆曲线超高

车辆在弯道上行进时，由于受离心力的作用，会向圆弧外侧推移。车速越快，车身受离心力而驶向弯道外侧的危险就越大，因此，驾驶人必须小心谨慎，降低车速。同时，为了抵消车辆在曲线路段上行驶时产生的离心力，应把弯道的外侧提高，将路面设计成外侧高于内侧的单向横坡形式，称为道路超高。针对双车道公路圆曲线部分的最大超高值，一般地区取 8%，积雪冰冻地区取 6%，城镇区域取 4%；而最小超高值应与该公路直线部分的正常路拱横坡度值一致。

5. 超高渐变率

当双车道公路的路拱横坡度发生变化时，必须设置超高过渡段，其超高渐变率应根据旋转轴的位置按表 2-4 确定。

表 2-4　超高渐变率

公路等级	设计速度/(km/h)	旋转轴的位置	
		中线	边线
二级公路	80	1/200	1/150
	60	1/175	1/125
三级公路	40	1/150	1/100
	30	1/125	1/75

6. 圆曲线加宽

当双车道公路的圆曲线半径小于或等于 250m 时，应设置加宽，如表 2-5 所示。圆曲线的加宽值应根据公路功能、技术等级和实际交通组成确定，并应符合下列规定。

（1）作为集散的二级公路应采用第 3 类加宽值。

（2）作为集散的二级公路和三级公路，在考虑通行铰接列车时，应采用第 3 类加宽值；不考虑通行铰接列车时，可采用第 2 类加宽值。

（3）作为支线的三级公路可采用第 1 类加宽值。

（4）有特殊车辆通行的专用公路应根据特殊车辆验算其加宽值。

表 2-5　双车道公路的加宽值

加宽类别	设计车辆	圆曲线半径/m								
		200~250	150~200	100~150	70~100	50~70	30~50	25~30	20~25	15~20
第1类	小型客车	0.4	0.5	0.6	0.7	0.9	1.3	1.5	1.8	2.2
第2类	载重货车	0.6	0.7	0.9	1.2	1.5	2.0	—	—	—
第3类	铰接列车	0.8	1.0	1.5	2.0	2.7	—	—	—	—

7. 圆曲线长度

双车道公路的圆曲线长度应符合表 2-6 的规定。

表 2-6　圆曲线长度

公路等级	设计速度/(km/h)	圆曲线长度/m	
		一般值	最小值
二级公路	80	400	140
	60	300	100
三级公路	40	200	70
	30	150	50

对于转向不同的圆曲线，驾驶人的操作是不同的，行驶轨迹会有一些差别。在双车道公路上，跟在大型货车后面的小型客车习惯靠左行驶以随时准备超车，其视距在左转曲线上可能大大降低。当路线转角 Δ 小于或等于 7°时，应设置较长的圆曲线，其长度应大于表 2-7 中规定的一般值；当有地形条件及其他特殊情况限制时，可采用表 2-7 中的最小值。

表 2-7　路线转角小于或等于 7°时的圆曲线长度

公路等级	设计速度/(km/h)	一般值/m	最小值/m
二级公路	80	1000/Δ	140
	60	700/Δ	100
三级公路	40	500/Δ	70
	30	350/Δ	50

2.1.2　纵断面

双车道公路纵断面线形因素主要包括纵坡、坡长、合成坡度、竖曲线等。纵断面线形对交通安全的影响也十分显著，往往是导致事故发生的直接原因。车辆的爬坡能力是限制纵坡大小的一个重要因素，由于各种车辆的构造、性能、功率不同，它们的爬坡能力也不一样，纵坡大小对载重货车的影响比对小型客车的影响显著得多。当车辆在陡坡上行驶时，必然导致车速降低，若陡坡太长，爬坡时会使车辆水箱出现沸腾、气阻，以致行车缓慢无力、机件磨损增大、驾驶条件恶化，甚至导致发动机熄火；若车辆轮胎与道路表面的摩擦力不够，会引起车轮空转打滑，甚至有向后滑溜的危险，从而发生交通事故。当车辆沿长陡坡下行时，由于需长时间减速、制动，也会造成制动器发热失效或烧坏，从而导致交通事故。因此，有必要对纵坡的大小和坡长等参数进行规定。

1. 纵坡

双车道公路的最大纵坡应不大于表 2-8 的规定。对于越岭路线连续上坡或下坡的路段，当相对高差为 200～500m 时，平均纵坡应不大于 5.5%；相对高差大于 500m 时，平均纵坡应不大于 5%。任意连续 3km 路段的平均纵坡宜不大于 5.5%。

表 2-8　最大纵坡

公路等级	设计速度/(km/h)	最大纵坡/%
二级公路	80	5
	60	6

公路等级	设计速度/(km/h)	最大纵坡/%
三级公路	40	7
	30	8

此外，双车道公路的纵坡不宜小于 0.3%；当横向排水不畅的路段或长路堑路段采用平坡或小于 0.3% 的纵坡时，其边沟应进行纵向排水设计。

2. 坡长

双车道公路的最小坡长和最大坡长应符合表 2-9 和表 2-10 的规定。

表 2-9 最小坡长

公路等级	设计速度/(km/h)	最小坡长/m
二级公路	80	200
	60	150
三级公路	40	120
	30	100

表 2-10 不同纵坡的最大坡长

公路等级	设计速度/(km/h)	纵坡/m							
		3%	4%	5%	6%	7%	8%	9%	10%
二级公路	80	1100	900	700	500	—	—	—	—
	60	1200	100	800	600	—	—	—	—
三级公路	40	—	1100	900	700	500	300	—	—
	30	—	1100	900	700	500	300	200	—

3. 合成坡度

双车道公路的最大合成坡度不得大于表 2-11 的规定。当纵坡与小半径平曲线相重叠时，宜采用较小的合成坡度；对于冬季路面有结冰、积雪的地区，自然横坡较陡峻或非机动车交通量较大的路段，其合成坡度必须小于 8%；此外，各级公路的最小合成坡度不宜小于 0.5%；在超高过渡的变化处，合成坡度不应设计为 0%；当合成坡度小于 0.5% 时，应采取综合排水措施，保证路面排水畅通。

表 2-11 双车道公路的最大合成坡度

公路等级	设计速度/(km/h)	最大合成坡度/%
二级公路	80	9.0
	60	9.5
三级公路	40	10.0
	30	10.0

4. 竖曲线

竖曲线主要是为了实现变坡点坡度变化的过渡曲线,包括凸曲线和凹曲线两种。竖曲线半径的大小将直接影响过渡效果的好坏,对道路交通安全有着一定的影响。双车道公路的竖曲线最小半径与竖曲线长度应符合表 2-12 的规定。

表 2-12 竖曲线最小半径与竖曲线长度

公路等级	设计速度/(km/h)	凸曲线半径/m		凹曲线半径/m		竖曲线长度/m	
		一般值	极限值	一般值	极限值	一般值	极限值
二级公路	80	4500	3000	3000	2000	170	70
	60	2000	1400	1500	1000	120	50
三级公路	40	700	450	700	450	90	35
	30	400	250	400	250	60	25

2.1.3 横断面

1. 车道

一般来说,较宽的路面有利于行车安全,当双车道公路的路面宽度大于 6.5m 时,事故率比宽度为 5.5m 的路面低得多。因此,事故率随路面宽度的增加而降低。双车道公路的车道宽度应符合表 2-13 的规定。

表 2-13 车道宽度

公路等级	设计速度/(km/h)	车道宽度/m
二级公路	80	3.75
	60	3.5
三级公路	40	3.5
	30	3.25

2. 路肩

路肩由土路肩和硬路肩组成，路肩对安全行车的作用主要包括：①给发生故障的车辆提供临时停靠的地点，有利于防止发生交通事故和避免交通紊乱；②紧急状态下，路肩还可以作为事故救援的备用道；③作为侧向净宽的一部分，能增强驾驶人的安全感和舒适感，尤其在挖方路段，可以增加弯道视距，减少行车事故。双车道公路的右侧路肩宽度应符合表 2-14 的规定。

表 2-14 右侧路肩宽度

公路等级	设计速度/(km/h)	右侧硬路肩宽度/m		右侧土路肩宽度/m	
		一般值	最小值	一般值	最小值
二级公路	80	1.5	0.75	0.75	0.5
	60	0.75	0.25	0.75	0.5
三级公路	40	—	—	0.75	0.75
	30	—	—	0.5	0.5

3. 路拱坡度

双车道公路的路拱应采用双向路拱坡度，由路中央向两侧倾斜。路拱坡度应根据路面类型和当地自然条件确定，但不应小于 1.5%。直线路段的硬路肩应设置向外倾斜的横坡，其坡度值应与车道横坡值相同。对于曲线路段的内、外侧硬路肩的横坡，当曲线超高小于或等于 5%时，其横坡值和方向应与相邻车道相同；当曲线超高大于 5%时，其横坡值应不大于 5%，且方向与相邻车道相同。

2.2 路侧环境特征

我国是一个多山的国家，特殊的自然地理条件决定了大量山区公路的存在，然而这些山区公路，尤其是山区双车道公路，技术等级低、线形指标差、安全设施少。平原区双车道公路的几何线形指标一般好于山区双车道公路，但这些双车道公路上普遍存在的机非混行、交叉口运行无序、缺乏必要的渠划、边沟设计不合理等现象也带来了一定的安全隐患。下面重点从路侧安全的角度分析，指出我国双车道公路存在的主要安全问题。

2.2.1 路侧防护

路侧险要路段缺乏安全防护设施或防护设施不符合标准。图 2-1 所示的道路一侧为陡峭的悬崖，且公路线形为连续下坡弯路，路侧却未设置任何防护设施，连最基本的轮廓标和线形诱导标也未安装。图 2-2 所示的路侧为山涧，路侧杂草丛生，同样没有设置任何安防设施。图 2-3 所示的桥梁两侧虽然设置了桥墩，但其防撞能力明显不足，可见图 2-3 中的桥墩被事故车辆撞断，撞断的开口尚未得到及时维修和升级。

图 2-1 路侧为陡峭的悬崖

图 2-2 路侧为山涧

图 2-3　路侧桥墩的防撞能力不足

2.2.2　边坡

　　路侧边坡凹凸不平，与路基边缘形成高坎；路侧边坡坡度较陡，使冲出路外的车辆在边坡上不能得到有效控制，容易发生侧翻。图 2-4 所示的路侧为不高的边坎，但车辆错车时极易翻车，平时养护时应尽量将边坎填实，形成较缓边

图 2-4　路侧为不高的边坎

坡，可设置浅边沟或碟形边沟，防止车辆侧翻。图 2-5 在地形条件允许的情况下可适当放缓边坡，图 2-5 中的路侧边坡较陡，仍比较危险。放缓边坡可能导致公路用地范围扩大，也加大了土方工程量，此时可采取降低路基高度的灵活设计方案。

图 2-5　路侧边坡较陡

2.2.3　边沟

我国现有双车道公路路侧边沟的突出特点是宽、深、大。图 2-6 所示的路侧排水矩形边沟紧靠行车道边缘，路侧净区宽度不足，易使失控车辆卡滞在边沟内，进而引发路侧事故。宜将边沟进行盖板处理，增加路侧净区宽度的同时减少边沟

图 2-6　紧靠行车道边缘的边沟

带来的行车安全隐患。图 2-7 所示的边坡坡底的排水沟过于宽、深，易使驶入路侧的车辆侧翻，可将前坡、后坡结合起来设计，将坡度填高并对坡角进行圆滑处理，给车辆提供一个十分充足的路侧净区。

图 2-7　宽、深的排水沟

2.2.4　路侧街道化

路宅不分会使公路路侧净区非常狭窄，也增加了机动车与非机动车、行人间发生事故的可能性和严重性，如图 2-8 所示。在街道化较为严重的路段，尤其是当房屋等建筑物紧靠公路时，宜采取路宅分离、机非分离，设置或开辟非机动车专用车道等措施，以提高路侧的安全性。

图 2-8　路宅不分的车道

2.2.5　行道树

行道树也是影响我国路侧安全的主要危险物之一，行道树的种植更多的是考虑绿化要求，而较少关注路侧安全问题，突出的问题是行道树距离行车道太近，使基于路侧净区的设计即使在有条件的平原区也难以付诸实施。图 2-9 所示的路侧行道树紧邻行车道边缘，树木直径较大，且树间距较小，失控车辆撞上树木，极易造成重大伤亡。

图 2-9　路侧行道树

2.2.6　护栏端头

目前，护栏端头安全问题的重视程度不足，通常处理过于简单化，缺乏缓冲消能设施。中央分隔带护栏开口处的端头及出入口三角区的路侧护栏端头被车辆碰撞的概率较高，如不进行特殊处理，也将导致严重的后果。图 2-10 给出的是护栏端头处理不当的例子。

2.2.7　桥墩、大型立柱

对路侧净区内的坚硬桥墩、大型标志及广告牌立柱等危险物缺乏有效的防护和标识。图 2-11 中巨大、坚硬的桥墩紧邻行车道，图 2-12 中的路侧大型标志立柱也没有采取有效的防护措施，都给行车安全带来了隐患。

图 2-10　护栏端头处理不当

图 2-11　紧邻行车道的桥墩

图 2-12　紧邻行车道的路侧大型标志立柱

2.3　交通流参数特征

与其他多车道相比，受到公路等级、通行能力等因素的影响，双车道公路具有比较明显的交通特性。本节将从交通组成特征、车辆行驶状态特征、超车冲突特征三方面分别介绍双车道公路的交通流参数特征。

2.3.1　交通组成特征

1. 车型繁多

考虑到众多车型对双车道公路的利用和交通管理特点的限制，双车道公路可供各种不同的机动车辆行驶且其间混有大量非机动车。由于不同车辆的动力性能存在差异，小型客车、载重货车、拖拉机等车辆的运行会相互干扰，此外，路侧非机动车辆、行人等会对车辆的运行产生侧向干扰，这是大部分双车道公路上混合交通的主要特点。

2. 双向交通流相互干扰

与多车道双向分离交通不同，双车道公路同向只有一个车道，在一定的道路和交通条件下借道超车对同向和对向车辆的运行均会产生影响。超车车辆与被超车车辆和对向来车之间也会相互干扰。

3. 快、慢车速度差明显

受车型种类和车辆动力性能差异的影响，快速车辆的运行显然受制于慢速车辆，而双车道公路上特殊路段的道路条件，如大纵坡、小半径曲线等更是加剧了不同车辆之间的运行速度差。

2.3.2　车辆行驶状态特征

车辆在双车道公路上行驶，由于受到道路、交通、环境等因素的影响，车辆运行状态大体上可分为以下四种情况。

1. 自由行驶

车辆行驶不受同向车辆或者对向车辆的影响，车辆以理想车速行驶。车辆行驶的理想车速受到道路条件的限制，如道路的平纵线形、车道宽度、侧向净空、路面平整和粗糙度等。

2. 跟车

当快速车辆接近慢速车辆时,若同向车道交通流和对向车道交通流不具备一定的超车条件,快速车辆将被迫跟随慢速车辆行驶。后车与前车之间的理想车头时距取决于车辆的运行速度,当后车具有超车意向时,其对应的车头时距将减小。多个快速车辆可能同时跟随同一慢速车辆行驶。

3. 超车

在公路几何线形允许超车的路段,若同向车道具备超车后回车的交通条件且对向车道无来车阻断超车,则快速车辆可选择超越前车,快速车辆在超车过程中的运行速度大于其自由行驶时的速度。根据超车成功与否可将快速车辆驶回车道的形式分为超车未成功强制回车和超车成功后回车。多个快速车辆同时超车所需的超车距离大于单车超车的情况。

4. 合流

根据超车成功与否将合流分为超车完成合流和超车未完成合流。根据不同的道路和交通条件,合流时的车辆间距变化范围很大,最小的安全车辆间距为后车制动时不与前车发生碰撞的间距。超车完成合流一般为快速车辆顺利借道超车后驶回同向车道,到达所有被超的慢速车辆之前;超车未完成合流为快速车辆并未完全超越慢速车辆而又被迫回车,退回同向车道并行驶于慢速车辆之后的合流过程;合流过程同时受对向和同向车辆的影响。

2.3.3 超车冲突特征

1. 交通冲突概念

1997 年,在首次国际交通冲突的年会上正式提出了交通冲突这一标准概念,交通冲突即两个相对运动的物体在时间和空间上无限逼近的变化趋势,这一时空关系用距离、时间和速度等参数描述。

交通冲突是指道路使用者在道路上行进的过程中,由其交通行为产生的状态参数(时间、距离、速度等)较易产生不安全因素,是否成功避险将决定交通事故的发生与否。严重的交通冲突将直接引发交通事故,而较轻微的交通冲突可通过正确的操作成功消除事故风险。

2. 交通冲突危险性分析

当车辆在双车道公路上行驶时,主要的行驶状态有匀速行驶、跟驰行驶、超车行驶和停止超车。当被拦截的快速车辆通过相应的操作进行超车时，快速车辆的驾驶人一般通过以下几个过程实现超车。

（1）超车需求的产生，即前方车辆的行驶速度低于跟驰车辆驾驶人的期望速度，致使跟驰车辆的驾驶人被动跟驰。

（2）变道超车过程，即跟驰车辆的驾驶人产生超车需求后，根据行驶状况，利用对向车道的车辆间隙，加速变道并超过前方车辆。

（3）变道回车，在超越前车后，超车车辆的驾驶人利用回车间隙加速行驶回到原有车道行驶的过程。

驾驶人在双车道公路进行超车时，由于受到超车车辆在对向车道和本向车道的时空占用的影响，超车过程中主要存在两种交通冲突：一是超车车辆在变道超车过程中，由于对对向车道车辆的行驶速度、车距等因素判断失误，致使超车车辆在对向车道上与对向车辆发生交通冲突，超车失败；二是在对向车道超越前车后加速回车过程中，由于回车间隙不足而与原车道上的低速车辆产生的交通冲突。严重的交通冲突将不可避免地产生交通事故，因此在双车道公路超车过程中，存在以上两处潜在的交通事故。考虑到上述第二种交通冲突的产生主要由交通量过大引起，应通过增加工程改造来提高公路服务水平。

双车道公路上，货车占据一定比例（5%左右），而货车的行驶速度低于客车等轻型车辆，因此，双车道公路的压车现象高于其他等级的公路，超车需求量也大大增加。当超车需求产生时，被压车辆的驾驶人就会对交通情况进行判断，并利用对向车道进行超车。在双车道公路的超车过程中，涉及因素较多，使驾驶人的判断过程较为复杂，稍有差池，便会使交通冲突演变为交通事故。

2.4　交通事故特征

参考广西壮族自治区、山西省和山东省典型双车道公路的交通事故数据[107-109]，本节统计分析了双车道公路的交通事故特征，主要包括事故形态特征、事故时间特征和事故空间特征。

2.4.1　事故形态特征

道路交通事故的形态指的是交通事故的外部表现形式，道路交通事故形态的分布主要包括正面碰撞、侧面碰撞、追尾碰撞、翻车、碰撞固定物等。通过对广西壮族自治区两条典型双车道公路的交通事故数据进行整理分析，并且对交通事故形态进行相应的分类，得出各种交通事故形态所占比例，如图 2-13 所示。

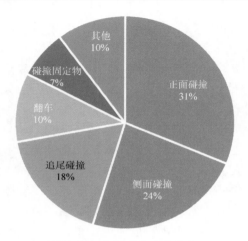

图 2-13　交通事故形态分布

通过图 2-13 可以明显地看出，双车道公路的交通事故形态中正面碰撞、侧面碰撞及追尾碰撞所占的比例较大，分别为 31%、24% 和 18%。因此，应该重点考虑引起正面碰撞、侧面碰撞及追尾碰撞等类型的原因。翻车和碰撞固定物所占的比例较小，分别为 10% 和 7%。

在双车道公路的交通事故形态中，正面碰撞所占的比例最大，主要由于驾驶人利用对向车道进行超车及上、下行车辆之间的频繁会车。当驾驶人在交通量较大或者超车视距不满足要求的路段上利用对向车道进行超车时，容易引起交通事故的发生；侧面碰撞所占的比例较大则是由于在我国双车道公路的平交口处存在着视距不良、交通组织紊乱，道路路权不明，增大了不同转向车辆之间侧面碰撞的概率；追尾碰撞所占的比例较大主要是由于在双车道公路上存在着长、大陡坡路段，在长、大陡坡路段上载重货车的行驶速度较慢，跟随其后的小型客车行驶速度较快，当对向车道没有超车条件时，快速车辆尾随在慢速车辆后面，极易导致交通事故的发生。此外，由于双车道公路在单方向上仅提供一条车道让车辆行驶，当驾驶人出现操作失误时，有限的行驶空间倾向于导致车辆驶入路侧从而发生翻车，或者与固定物发生碰撞，从而引发交通事故，虽然上述交通事故形态所占的比例较小，但事故损失严重。

2.4.2　事故时间特征

1. 交通事故月分布

针对上述广西壮族自治区双车道公路的交通事故数据，可按照月分布进行相应的统计分析，结果如图 2-14 所示。

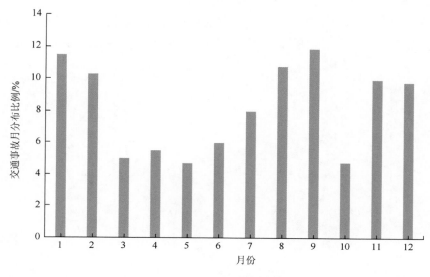

图 2-14　交通事故月分布

　　由于受到道路交通环境和人们出行需求的影响，不同月份发生的交通事故所占的比例有所不同。通过图 2-14 可以明显地看出，7～9 月份和 11 月份至次年 2月份是一年当中发生交通事故最多的月份。

　　7～9 月份交通事故所占的比例较高主要是由于气温较高，车辆在道路上行驶时容易出现爆胎现象，并且气温的升高也导致车辆机械故障频发。另外，由于天气比较炎热，驾驶人在驾驶车辆的过程中，其心理和生理方面都会出现不适应的现象，如疲劳、乏力及心情烦躁等，这都极易引发交通事故。11 月份至次年 2 月份交通事故所占的比例较高，一是由于气温较低，再加上雨、雪等天气较多，道路路面经常出现结冰现象，车辆在道路上行驶时经常会发生侧滑和车辆制动失效等，从而导致交通事故的发生；二是由于 1～2 月份是我国春节期间，人们返乡过节和走亲访友比较多，双车道干线公路上的交通量比较大，且车型繁多，道路上违规超车、加塞现象严重，致使交通事故多发。

　　2. 交通事故小时分布

　　针对上述广西壮族自治区双车道公路的交通事故数据，可按照小时进行统计分析，结果如图 2-15 所示。

　　由图 2-15 可以看出，一天内发生在双车道公路中的交通事故主要有两个高峰期，第一个高峰期是早晨的 7～9 点，这段时间是人们上班的高峰期，道路上的车流量较大、冲突较多，因此这段时间的交通事故所占的比例也较高。第二个高峰期发生在17～24 点，一是由于夜间行车，视线不好，再加上很多双车道公路的路侧交通安全设施不完善，对驾驶员行车缺乏正确引导作用；二是夜间相对于白天车流量不大，行车自由度较高，驾驶员往往违章超速行驶、冒险超车，导致交通事故多发。

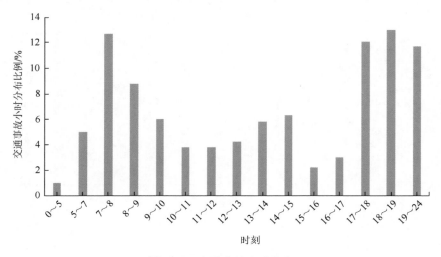

图 2-15　交通事故小时分布

2.4.3　事故空间特征

1. 山岭重丘区

由于山岭重丘区的地形条件比较复杂，在修建双车道公路时往往因受到地形条件的限制，在设计和施工时采用道路技术指标的极限值，使一些路段，如长、大陡坡，急弯，平交口和桥梁等存在着极大的安全隐患，成为事故多发的路段。通过对山西省山区双车道公路的交通事故数据统计进行分析，得出山区双车道公路交通事故的空间分布情况，如图 2-16 所示。

通过图 2-16 可以看出，山区双车道公路发生的交通事故多集中于平交口，长、大陡坡，急弯和其他路段等处，其中平交口的事故率最高，占比为 33%，其他路段，长、大陡坡和急弯分别占比为 26%、17% 和 15%。

平交口的事故率最高，主要是由于山区双车道公路的平交口处往往存在着视距不良的情况，使车辆在平交口处无法准确地获知道路其他方向上车辆的行驶情况，在转弯时易引起交通事故的发生。山区的地形特点往往使支路接入口的几何设计不合理，如角度过小、坡度过大等，因此支路上的车辆对主路行车安全产生很大的影响，致使接入口处交通事故频发。在长、大陡坡路段处，尤其是当纵坡坡度大于 5% 时，车辆爬坡需要克服较大的坡度阻力，当坡长较长时，会导致车辆的发动机过热、水箱沸腾、爬坡无力；车辆在下坡时，会因纵坡坡度过大和坡长过长而频繁制动，容易使制动失灵，导致交通事故的发生。急弯路段的事故率较高主要由于道路平曲线半径较小，车辆在转弯时受到的离心力较大，容易发生滑移、倾覆等。其他路段包括路侧险要路段及穿村镇路段等，路侧险要路段的事故率较高主要是由于山区双车道公路的交通安全防护设施不完善、设计不合理等，穿村镇路段容易发生车辆刮撞行人等交通事故。

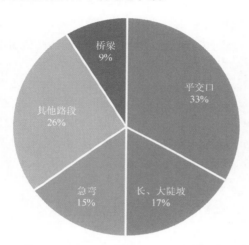

图 2-16　山区双车道公路交通事故的空间分布

2. 平原微丘区

山东省聊城市地处华北平原，地形较为平坦，对山东省聊城市的双车道公路交通事故事发地点数据进行统计分析，如表 2-15 所示。通过表 2-15 的数据可以发现，平原微丘区的双车道公路交通事故与山区有所不同，事故主要集中在平交口路段、穿村镇路段及一般路段上。平交口路段事故多发主要是在双车道公路上缺乏合理的交通组织，导致路权不明确，因而平交口路段发生的正面、侧面碰撞较多。穿村镇路段事故多发是由于支路接入口比较密集，使其接入间距较小，对主路行车安全造成极大的影响。一般路段交通事故多发主要是平原微丘区的人口较为密集，且道路上交通量较大，因此快速车辆利用对向车道进行超车引发的交通事故较多。

表 2-15　聊城市双车道公路交通事故数量表

事故路段	事故数量/起	比例/%
平交口路段	105	47.7
穿村镇路段	48	21.8
一般路段	67	30.5

第3章　双车道公路超车事故风险评价

通过对双车道公路事故形态特征的分析可以发现，在所有事故类型中以两车正面碰撞居多。双车道公路驾驶人的超车行为是危险的驾驶行为，且容易发生超车事故。目前，国内外对双车道公路超车事故风险评价的研究较少，且这些研究通常以仿真手段获得的数据为依托，缺乏实测数据的标定。因此，本章在以往研究的基础上，开展合理的实车试验，通过调查分析双车道公路不同驾驶人的超车冲突时间 T_c（驾驶人自超车完毕驶回本向车道至与对向车辆相遇的时间差）的分布规律，构建超车冲突时间与车速、交通量的关系模型，基于超车冲突时间提出双车道公路超车事故风险评价方法。

3.1　试验方案与数据分析

3.1.1　试验因素

正如前面所述，双车道公路超车只能借助对向车道完成，与其他形式的公路相比，超车的危险性更高，所以实车试验具有一定的危险性，为了避免在试验过程中发生交通事故，需要全面分析影响试验进行和试验结果的各种因素，在试验前做好充分的准备工作，以保证试验的顺利进行。无论交通状况如何复杂，道路交通系统的组成因素为驾驶人、车辆、公路和环境，交通事故的影响因素也可以归纳为这四个方面，所以下面将分别从这四个方面对试验影响因素进行分析。

1. 驾驶人

通常认为，驾驶人是道路交通系统中最复杂的因素，人的一系列特性可以对驾驶行为产生很大的影响，最明显的两个方面就是驾驶人的个人特性和驾驶技能及素质特性，两者都会影响驾驶人的驾驶状态及反应能力，从而影响车辆的运行状况和行驶安全。

当驾驶人初次申请考取驾驶证或者申请换领新的驾驶证时，都会被要求做一次身体检查，其中非常重要的一项检查就是视力检查，因为驾驶人的视觉特性是影响驾驶人驾驶行为的最直接因素，也是最重要的因素。除视觉特性外，驾驶人的心理状况和反应能力也是非常重要的因素，健康的心理状况和快速的反应能力保证驾驶人在遇到突发状况时可以沉着应对，迅速做出判断和制定应对策略，避免发生意外事故。此外，驾驶人的性别、年龄、性格特征等也都是影响驾驶人驾驶状态的重要因素，驾龄一般与年龄相关，但不是绝对的相关关系，驾龄长的驾驶人的操作更加熟练和稳定，相关调查表明，驾驶人的最佳驾龄在 22～45 岁。

当驾驶人的个人特性良好时，对驾驶人的另一个要求便是驾驶技能和素质特性。驾驶人只有通过学习具备了驾驶车辆的能力才能保证行车安全，同时，驾驶人必须具备良好的驾驶素质和高度的警觉性，很多交通冲突的产生是由于驾驶人的粗心大意、走神、判断失误及不遵守交通规则等，所以驾驶过程中时刻保持注意力集中，不随意跟车、超车，不超速驾驶，遵守交通规则和标志、标线指示等，都是保证驾驶安全顺利的重要条件。

2. 车辆

在道路交通系统中，驾驶人是关键因素，但车辆是运动的主体，人靠操作车辆完成从一个地方到另一个地方的移动，所以车辆必须具备良好的性能，才能完成这一过程。

汽车的动力性主要通过速度的大小来体现，一般用汽车在路面状况良好的情况下直线行驶时能达到的平均行驶速度来表示，汽车的动力性常用的三个评定指标为最大速度、爬坡能力和加速能力。考虑到本章的研究对象是双车道公路，其设计速度不大于 80km/h，所以最大速度不作为对试验车辆的主要要求，但是应必须保证车辆具备良好的加速能力和爬坡能力。此外，汽车的制动性能是保证汽车安全的最重要性能，因为当汽车在行驶过程中出现突发情况时，车辆的及时制动可以避免事故的发生或减轻事故损伤程度。制动性能的好坏影响到汽车遇到紧急状况时的安全性，即制动性能好则能迅速停车，否则极易发生交通事故；另外，制动性能的好坏还影响汽车在长下坡时的速度稳定和方向稳定。因此，制动性能是保证车辆安全行驶的非常重要的性能，良好的制动性能可以保证车辆正常减速，并且按道路轨迹行驶，不出现侧滑、跑偏或倾翻等失去方向性的现象。

3. 公路

双车道公路对应的公路等级一般为二级或二级以下，由于四级公路的设计交通量很小，本章的试验研究对象是二级公路和三级公路。

4. 环境

环境因素中主要的关注对象是天气条件与路面状况，天气条件不仅影响驾驶人的视距、路面的附着性，还影响驾驶人的心理状况，开展本书试验时的天气条件与路面状况均良好。

3.1.2　试验方案

通过对超车行为及各试验因素的分析，本书的试验车辆采用小型客车，配置试验人员 2 名，位于副驾驶座位和后座。前排试验人员负责记录超车过程的各特征时刻 t 与车速 v（配置车载导航系统显示），后排试验人员观测对向车道分车型交通量、超车过程中对向车道的车头时距。

在长吉南线选取合适长度的试验路段，被测试驾驶人驾驶小型客车自试验路段的起点出发，遇到超车行为时，前排试验人员开始记录，试验步骤如下。

（1）驾驶人准备超车时向试验人员报告，当对向车道的车辆车头与本车车头相遇时，后排试验人员记录时刻 t_0 及车速 v_0。

（2）当驾驶人开始超车、进入对向车道时，前排试验人员记录车速 v_1 及被超车辆的车型。

（3）当驾驶人超车结束向右变道驶回本向车道时，前排试验人员记录时刻 t_1 及车速 v_2。

（4）当试验车辆与对向车道的车辆相遇时，前排试验人员记录时刻 t_2。

（5）前排试验人员计算驾驶人的超车时间 $T_2 = t_2 - t_0$、超车冲突时间 $T_c = t_2 - t_1$。

（6）后排试验人员计算对向车道的车头时距 $T = (t_2 - t_0) + (v_1 + v_2)/2v_0 \times (t_2 - t_0)$。

（7）当遇到下一个超车行为时，重复步骤（1）～（6），直至试验路段的终点。

（8）对下一位驾驶人进行测试，重复步骤（1）～（7），直至所有试验样本测试完毕，试验过程如图 3-1 所示。

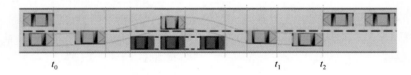

t_0　　　　　　　　　　　　　　　　　　　　t_1　　t_2

图 3-1　试验所需记录的各特征时刻

3.1.3　试验结果

实车试验共收集了 80 组超车数据，经过计算和整理，结果如表 3-1 所示。

表 3-1　试验数据

序号	v_0/(km/h)	v_1/(km/h)	v_2/(km/h)	T_c/s	T/s
1	75	77	80	6	26.6
2	60	64	72	11	36.3

续表

序号	v_0/(km/h)	v_1/(km/h)	v_2/(km/h)	T_c/s	T/s
3	45	55	60	9	34.2
4	30	41	40	13	47
5	60	64	71	9	34
6	61	66	72	18	46.9
7	60	63	79	7	32.8
8	45	49	60	8	55.3
9	51	54	56	4	27
10	64	69	74	7	27.5
11	64	69	74	17	50.8
12	57	61	67	6	21.2
13	67	73	77	6	23.3
14	53	58	62	16	25.6
15	47	51	54	7	25.4
16	69	73	77	8	31.3
17	51	67	73	6	33.2
18	67	73	79	11	34.1
19	63	65	71	13	41.6
20	61	64	67	9	31.1
21	57	61	65	6	25.3
22	64	67	72	14	41.7
23	69	72	77	8	31.2
24	61	66	69	12	40
25	67	71	74	7	31.2
26	62	65	68	4	39.7
27	68	72	77	4	25.1
28	70	74	79	17	48.1
29	66	71	75	18	50.5
30	69	74	79	3	16.9
31	67	72	75	18	54.5
32	70	75	78	10	33.5
33	68	72	77	4	23.1
34	68	73	79	8	33.9
35	65	68	74	21	56.5
36	65	69	73	13	37.7
37	68	71	75	7	29
38	72	76	79	5	27

续表

序号	v_0/(km/h)	v_1/(km/h)	v_2/(km/h)	T_c/s	T/s
39	66	70	75	16	46.2
40	72	75	78	5	22.7
41	54	54	63	14	44.5
42	66	68	77	6	25.5
43	61	64	71	12	35.8
44	63	66	74	9	33.8
45	65	71	77	12	40.6
46	69	73	79	8	31.5
47	69	72	79	13	41.9
48	61	64	68	10	31.2
49	65	67	69	13	34.8
50	73	75	78	11	32.8
51	51	53	55	8	28.8
52	54	56	65	17	48.8
53	55	59	64	12	38.1
54	63	67	73	12	35.9
55	71	75	79	20	54.2
56	70	74	77	13	37.4
57	67	71	76	14	39.8
58	57	58	64	10	45.5
59	67	71	75	13	37.6
60	50	53	61	12	40.7
61	51	52	57	11	31
62	62	66	71	7	25.3
63	63	67	79	7	25.9
64	57	63	66	5	234
65	61	66	77	14	52.1
66	69	72	77	11	20.8
67	63	66	70	4	27
68	71	75	80	4	37.6
69	68	72	75	17	31.2
70	73	76	79	18	43.3
71	57	60	62	3	26.9
72	60	63	68	18	37.6
73	69	72	78	10	18.8
74	72	75	80	4	22.8

序号	v_0/(km/h)	v_1/(km/h)	v_2/(km/h)	T_c/s	T/s
75	68	72	77	8	23.1
76	68	73	79	21	29.6
77	69	72	77	13	20.8
78	63	66	70	7	27
79	71	75	80	5	37.6
80	68	72	75	16	31.2

由表 3-1 的数据分析可知，对向车道车头时距的值越小，超车冲突时间就越小。通过对对向车道交通量的分析发现，超车冲突时间与交通量呈简单的线性相关，对向车道交通量越大，超车冲突时间就越小。

3.1.4　多元回归分析

车头时距是描述机动车到达规律和释放规律的重要参数，也是计算道路通行能力的重要依据[110]。通过对双车道公路的超车行为及各个试验变量的分析，本节在构建模型时将对向车道的车头时距作为依据。通过 3.1.2 节试验方案的步骤（6）可知，对向车道车头时距的计算方法为超车时间与对向车道车辆运行的时间之和，即

$$\frac{3600}{Q} = (t_2 - t_0) + \frac{v_1 + v_2}{2v_0}(t_2 - t_0) \tag{3-1}$$

由实车试验可知：

$$T_c = t_2 - t_1 \tag{3-2}$$

$$T_c = a\frac{3600}{Q} \times \frac{2v_0}{v_1 + v_2 + 2v_0} - (t_1 - t_0) \tag{3-3}$$

而超车时间与速度 v_0、v_1、v_2 有关，假设它们的关系为

$$t_2 - t_0 = \frac{b}{\dfrac{v_1 + v_2 + v_0}{3}} \tag{3-4}$$

所以，超车完成时的平衡方程为

$$T_c = a\frac{3600}{Q} \times \frac{2v_0}{v_1 + v_2 + 2v_0} - \frac{3b}{v_1 + v_2 + v_0} \tag{3-5}$$

式中，a、b 为模型参数。

3.1.5　参数估计

首先明确因变量是超车冲突时间，超车冲突时间 T_c 受超车车辆的速度 v_0、v_1、v_2 及对向车道交通量 Q 的影响，所以自变量是超车车辆的速度和对向车道交通量。由 3.1.4 节的分析可知，超车冲突时间 T_c 与超车车辆的速度 v_0、v_1、v_2 及对向车道交通量 Q 之间的关系模型可以用如下多元非线性回归模型描述，因此将超车冲突时间 T_c 作为因变量，v_0、v_1、v_2 及 T_c 作为自变量。为了便于参数估计，令 $\dfrac{3600}{Q} = A$，$\dfrac{2v_0}{v_1 + v_2 + 2v_0} = B$，$\dfrac{1}{v_1 + v_2 + v_0} = C$，$a = n$，$3b = p$，则可得到简化关系模型 $T_c = n \times A \times B - pC$。

下面利用 SPSS 软件对试验数据进行回归分析。

通过表 3-2 可知，模型保留变量 A、B、C，说明 A、B、C 为显著性影响因素，根据表 3-3 的参数估计值可以得到回归关系模型为

$$T_c = 1.820A \times B - 633.073C \tag{3-6}$$

模型的决定系数为 0.992，说明拟合效果较好。

将 $\dfrac{3600}{Q} = A$，$\dfrac{2v_0}{v_1 + v_2 + 2v_0} = B$，$\dfrac{1}{v_1 + v_2 + v_0} = C$ 代入式（3-6）中，可知超车冲突时间、超车车辆的速度、对向车道交通量的关系为

$$T_c = 1.820 \times \frac{3600}{Q} \times \frac{2v_0}{v_1 + v_2 + 2v_0} - 633.073 \times \frac{1}{v_1 + v_2 + v_0} \tag{3-7}$$

表 3-2　输入或除去的变量

模型	输入的变量	除去的变量
1	C、A、B	—

表 3-3　参数估计值

参数	估计	95%置信区间	
		下限	上限
n	1.820	1.785	1.855
p	633.073	580.275	685.870

根据实车试验数据的统计分析可知，在车辆实际行驶的过程中，车辆的行驶

速度约为设计速度的 80%，在超车过程中车辆的行驶速度为设计速度的 85%~90%。因此式（3-7）的正常行驶速度 v_0 可等效为设计速度的 80%，超车速度 v_1 等效为设计速度的 85%，超车完成回到原车道的速度 v_2 等效为设计速度的 90%，则式（3-7）变形为

$$T_c = \frac{3129.313}{Q} - \frac{248.264}{v} \tag{3-8}$$

通过式（3-8）可知，超车冲突时间 T_c 与对向车道交通量 Q、设计速度 v 均呈负线性相关。

3.2　超车事故风险评价方法

利用 Fisher 最优分割法对超车冲突时间数据进行分类，以获得双车道公路超车风险等级分类方案，包括最佳分级数和各级对应的风险指标阈值。Fisher 最优分割法的原理是确保分割后的各组有序样本的组内离差平方和最小，此时对应的分组情况即最优分割，下面介绍具体实现方法。

3.2.1　定义样本

基于实车试验记录的 80 组数据，将超车冲突时间 T_c 从大到小进行排序编号，生成超车冲突时间 T_c 的有序样本，记为 $y_i(i = 1, 2, \cdots, 315)$。

3.2.2　定义、计算类直径

Fisher 最优分割法一般用直径来定义类中的差异程度，类中的差异性越小，类直径就越小，表示类中的样本属性趋于一致。若将 n 个数据样本分为 k 类，共有 C_{n-1}^{k-1} 种分法，假设 H_{ij} 为其中的某一分类，那么此分类包含的数据样本可记为 $\{x_i, x_{i+1}, \cdots, x_j\}$（$1 \leqslant i < j$），将 H_{ij} 中样本的离差平方和作为类直径 $D(i, j)$，即

$$D(i, j) = \sum_{i=1}^{j} \left(x_i - \bar{x}_{ij}\right)^{\mathrm{T}} \left(x_i - \bar{x}_{ij}\right) \tag{3-9}$$

式中，x_i 为标准化处理后的样本值；$\bar{x}_{ij}$ 为第 i 个样本至第 j 个样本的平均值。

3.2.3　计算分类误差函数

一般用误差函数来定义数据样本分类的优劣，若将 n 个数据样本分为 k 类，那么此分类对应的误差函数为[111]

$$e[p(n,k)] = \sum_{\eta=1}^{k}\left(i_{\eta}, i_{\eta+1} - 1\right) \tag{3-10}$$

即任意一种分类情况的误差函数表示为各类直径之和，$e[p(n,k)]$ 越小，表明数据分类后的直径之和越小，分类效果越佳。

3.2.4　确定最优解

由式（3-10）可得，当 $k=2$ 时，最优二分类误差函数为

$$e[p(n,2)] = \min_{2 \leqslant i \leqslant n}\left\{D(1, i-1) + D(i, n)\right\} \tag{3-11}$$

当 $k>2$ 时，最优 k 分类误差函数为

$$e[p(n,k)] = \min_{2 \leqslant i \leqslant n}\left\{e[p(i-1, k-1)] + D(i, n)\right\} \tag{3-12}$$

这时需要确定合适的分类点 i_k 使式（3-12）的计算值最小，即 $e[p(n,k)] = e[p(i_k-1, k-1)] + D(i_k, n)$ 最小，由此可得到第 k 类 $H_k = \{i_k, i_{k+1}, \cdots, n\}$。随后，应确定分类点 i_{k-1}，使其满足 $e[p(i_k-1, k-1)] = e[p(i_{k-1}-1, k-2)] + D(i_{k-1}, i_k-1)$，由此得到第 $k-1$ 类 $H_{k-1} = \{i_{k-1}, i_{k-1}+1, \cdots, i_k-1\}$，依次类推可得到所有分类 $H_1, H_2, \cdots, H_k$，最终获得最优解。

3.2.5　确定最优解分类数

一般通过绘制最小误差函数随分类数 k 的变化曲线来确定最优解分类数，当曲线的曲率变化较为明显时，此处对应的 k 值即合适的分类数。另外，为了更精准地确定 k 值，可以进一步计算相邻分类数之间的最小误差函数比值 $\beta(k)$，此值越大说明分类效果越好[112]，如式（3-13）所示。

$$\beta(k) = e[p(m,k)] / e[p(m, k+1)] \tag{3-13}$$

3.3　超车事故风险等级划分

3.3.1　Fisher 最优分割结果

根据之前定义的有序样本，结合 Fisher 最优分割法的步骤，利用 MATLAB 软件进行运算代码的编写，通过程序计算出分类样本的直径及最小误差函数，绘制最小误差函数与分类数 x 的变化关系曲线，如图 3-2 所示。

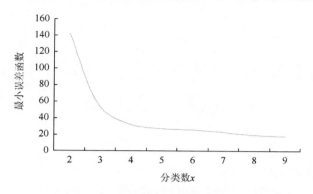

图 3-2　最小误差函数与分类数的关系

如图 3-2 所示，当分类数 x 为 3 和 4 时，最小误差函数的曲率出现较为显著的变化，再按照式（3-13）计算 $\beta(3)$ 和 $\beta(4)$ 的值，结果如表 3-4 所示。

表 3-4　分类结果

类别名称	分类数 x	最小误差函数值	分类情况	$\beta(x)$
超车冲突时间有序样本	2	142.125	{1~72}{73~315}	—
	3	53.271	{1~55}{56~72}{73~315}	1.69
	4	31.856	{1~32}{33~55}{56~72}{73~315}	1.47
	5	25.624	{1~17}{18~32}{33~55}{56~72}{73~315}	—

3.3.2　超车事故等级划分标准

通过对 $\beta(3)$ 和 $\beta(4)$ 进行计算，可以发现 $\beta(3) = 1.69 > \beta(4) = 1.47$，说明当分类数 $x = 3$ 时为最优分类结果。根据表 3-4 的数据，对双车道公路超车冲突时间相应的指标阈值进行确定。综合上述研究，结合超车冲突时间对双车道公路超车事故风险等级进行评价，如表 3-5 所示。

表 3-5　超车事故风险等级划分标准

风险等级	超车冲突时间相应的指标阈值/s	冲突等级
I 级	(3~6]	严重冲突
II 级	(6~9]	一般冲突
III 级	(9~21]	不冲突

因为当冲突等级达到严重冲突时，表示在双车道公路上进行超车已经非常危险，所以当交通量达到一般冲突与严重冲突的分界值时，建议设置附加车道。

第4章 双车道公路路侧事故发生概率预测与风险评价

导致路侧事故的诱因很多,如道路线形设计不良、驾驶人采取不恰当的避让措施、注意力不集中或者高速经过弯道路段等。由于影响路侧事故发生的因素多而复杂,一起路侧事故的发生往往是多种风险因素共同作用的结果。本章通过PC-Crash 仿真软件收集双车道公路路侧事故数据,利用 CHAID 决策树技术和路径分析方法识别导致路侧事故发生的显著性风险因素,开展路侧事故致因机理分析;应用贝叶斯网络技术构建车辆偏离车道并驶入路侧的概率计算模型,在此基础上借助概率论方法给出双车道公路路侧事故多发点的判别方法;利用多元回归分析拟合路侧事故乘员伤害评估模型,通过 Fisher 最优分割法对路侧事故严重度等级进行合理划分,据此提出基于路侧事故发生概率和路侧事故严重度的双车道公路路侧事故风险评价方法。

4.1 路侧事故发生概率预测

道路交通事故预测是道路交通安全研究的一项重要内容,有助于探究道路交通事故的发生规律,分析在现有交通条件下道路交通事故的发展趋势,做好道路交通安全的宣传与控制工作,为制定道路交通安全对策提供理论依据。与事故量和事故发生频率相比,事故发生概率更能够表示路段事故多发的程度,因此有必要进行路侧事故发生概率的预测。

4.1.1 PC-Crash 软件

PC-Crash 软件为奥地利学者开发的专门用于事故再现与分析的软件,该软件包含车辆模型、道路模型、多刚体模型及基于动量守恒的碰撞模型等,可实现对常见事故形态和事故轨迹的模拟分析。PC-Crash 软件进行交通事故再现与分析的过程主要是根据对事故现场信息的采集、记录、调查与分析,将事故涉及车辆由碰撞后的最终位置反推到碰撞过程,再反推至碰撞前的车辆运行状态,来进一步分析事故原因,然后根据有关法律进行责任认定。现阶段,我国在事故分析及责任认定上还处于完全依靠人工分析与判断的阶段,这种方法在很大程度上会受主观因素的影响。近年来发展起来的事故仿真与重现技术，为事故分析预处理提供了更加科学的手段。

　　事故重现主要根据交通事故现场的特征，如碰撞后的车辆位移、车辆损坏程度、各种痕迹长度、路面情况、散落物情况等，以运动学、动力学的原理（如速度、加速度关系式，牛顿定律及动量守恒、能量守恒原理等）为理论基础，建立多种物理和数学模型，以反映事故过程中诸多因素的相对运动情况、相互作用状态和内在联系，对事故发生过程进行推理与验证。其中，动量守恒原理以事故车辆碰撞前、后的动量总和相等为依据，根据车辆发生事故前的行驶方向与碰撞后的停止位置，来判断车辆发生事故前、后的车速变化及碰撞瞬间的角度并完成参数检测；能量守恒原理则以事故发生后的车辆位移、碰撞角度、损坏程度等因素为依据，运用力学理论来研究动能与位能的变化情况，从而推导出碰撞前、后的车速和碰撞角度。交通事故重现工作就是将实际案例采集资料或试验所得资料，通过数学统计回归分析、事故现场模拟及碰撞轨迹分析等方法，研究事故发生前、后车辆的速度、方向及运行轨迹，最后将运算的结果或模拟的仿真结果以视频动画或打印的形式输出，具体展示事故发生过程。

　　PC-Crash 软件的主要功能包括以下方面。

　　（1）能调入 32 辆车同步进行仿真。

　　（2）涵盖世界多个汽车厂家的三维车辆模型。

　　（3）可以构建刚体模型、多刚体模型和有限元模型。

　　（4）可以使用停歇位置功能进行碰撞优化，能自动计算碰撞面和碰撞点等碰撞参数。

　　（5）能设置并计算制动力在各车轮间的分布情况。

　　（6）可以根据测量的尺寸数据对人体及二轮车等多刚体模型进行调整。

　　（7）可以进行安全带设置，对车内乘员进行约束。

　　（8）能与 MADYMO 乘员仿真软件的接口对接来模拟乘员的响应运动。

　　（9）可以进行 3D 动画演示。

　　（10）可以输出车辆的行驶距离，速度，加、减速度等指标随时间的变化关系曲线。

　　（11）可以检测和计算多次碰撞结果。

　　（12）可以计算碰撞后车辆的运动轨迹。

　　（13）主动计算碰撞分离速度临界值和碰撞弹性系数[113]。

　　PC-Crash 软件除了能对机动车之间、机动车与非机动车之间的碰撞事故进行数字化重构，还能对机动车与行人之间、机动车与固定物之间的碰撞和翻车等事故类型进行模拟仿真，大量研究证实了 PC-Crash 软件在模拟单车侧翻和碰撞固定物事故方面表现良好[114-116]。PC-Crash 软件的使用界面如图 4-1 所示。

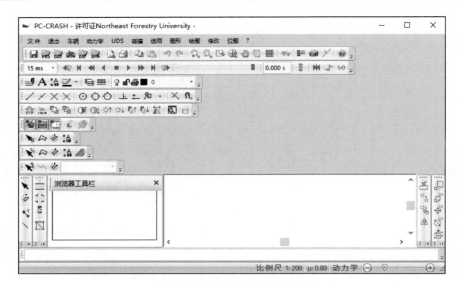

图 4-1　PC-Crash 程序主界面

4.1.2　仿真试验

选取公路线形指标（圆曲线半径、纵坡坡度、超高横坡度、硬路肩宽度、圆曲线加宽）、路面状况（路面附着系数）、交通特性（车速、车型）等 8 个风险因素作为输入变量，车辆最终状态作为输出变量。其中，车辆最终状态包括驶入路侧和正常行驶。车辆驶入路侧或者车轮陷入边坡表示路侧事故发生，如图 4-2 所示；正常行驶表示路侧事故未发生。

(a) 车辆驶入路侧　　　　　　　　　　　　　　　　　(b) 车轮陷入边坡

图 4-2　路侧事故发生

边坡坡度和路基高度主要影响车辆驶入路侧后的严重程度，而对路侧事故是否发生影响不大。结合我国《公路路线设计规范》（JTG D20—2017）中的相关规定，利用 PC-Crash 软件构建了行车道宽度为 3.7m、路拱横坡为 2%、边坡坡度为 1∶1、路基高度为 5m 的双车道公路道路模型，选取"BMW-116d autom"和"ASCHERSLEBEN KAROSS"分别作为小型客车和载重货车的代表车型，并将车辆的初始位置设置在单向行车道中心处，车辆参数设置如表 4-1 所示。

表 4-1　车辆参数

变量	取值	
	小型客车	载重货车
长度/m	4.325	6.370
宽度/m	1.765	2.500
高度/m	1.420	3.100
轴距/m	2.690	3.700
质量/m	1385	7200
重心高度/m	0.450	1.200
重心距前轴的距离/m	1.210	1.070
轮胎规格	215/50R 16（621mm）	7.50R 16（719mm）
ABS	是	是
ESP	是	否

注：ESP 代表电子稳定系统（electronic stability program）。

　　需要注意的是，在车辆参数设置中，PC-Crash 软件无法考虑驾驶人因素，因此在每次开展仿真试验前，对车辆转向进行提前设置以匹配不同的圆曲线半径。例如，当圆曲线半径为 200m 时，将车辆转弯半径设置为 200m，软件系统可自动将汽车的左前轮转向角和右前轮转向角分别更新为 1.57° 和 1.54°，如图 4-3（a）所示。另外，在圆曲线加宽设置方面，根据我国《公路路线设计规范》（JTG D20—2017）的规定，当圆曲线半径为 200m 时，进行相应的加宽值设置，其中，小型客车对应的加宽值为 0.4m，载重货车对应的加宽值为 0.6m，如图 4-3（b）所示。

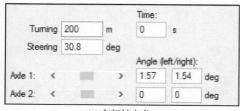

(a) 车辆转向角

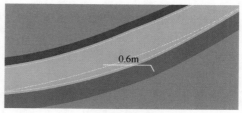

(b) 圆曲线加宽

图 4-3　车辆转向角和圆曲线加宽设置

在仿真试验中，各个变量的取值如表 4-2 所示。其中圆曲线半径、硬路肩宽度、路面附着系数、车速和车型可在仿真软件中直接设置，而纵坡坡度和超高横坡度则需要通过一些操作来进行设置。例如，超高横坡度的设置可以通过调整试验路段从道路外侧到道路内侧的高度差来实现，高度差 h_1 的计算方法为

$$h_1 = S_1 \times \sin[\arctan(i_1)] \tag{4-1}$$

式中，S_1 为试验路段的宽度（包括硬路肩宽度），单位为 m；i_1 为超高横坡度，单位为%（当试验路段横断面的外部高度大于内部高度时，其值为正）。

同理，通过调整试验路段从起点到终点的高度差，可以实现纵坡坡度的设置，高度差 h_2 的计算方法为

$$h_2 = S_2 \times \sin[\arctan(i_2)] \tag{4-2}$$

式中，S_2 为试验路段的长度，单位为 m；i_2 为纵坡坡度，单位为%（下坡坡度为正）。

根据公路线形指标和路面状况中（表 4-2）每个变量的取值，建立了 $5 \times 4 \times 4 \times 4 \times 4 = 1280$ 种组合，这些组合构建了对应不同硬路肩宽度、路面附着系数和超高横坡度的平曲线路段和弯坡组合路段。通过对车辆施加 5 种初始速度，并根据不同车型设置相应的圆曲线加宽，对小型客车和载重货车分别进行仿真试验，共收集 $1280 \times 5 \times 2 = 12800$ 组仿真数据，其中未发生路侧事故的有 9973 组，占 77.9%；发生路侧事故的有 2827 组，占 22.1%。

表 4-2　变量取值

变量		取值				
公路线形指标	圆曲线半径/m	200	300	400	500	600
	硬路肩宽度/m	0.75	1.50	2.25	3.00	
	纵坡坡度/%	0	2	4	6	
	超高横坡度/%	0	2	4	6	
路面状况	路面附着系数	0.2	0.4	0.6	0.8	
交通特性	车速/(km/h)	40	60	80	100	120
	车型	"载重货车"=0		"小型客车"=1		

4.1.3　显著性风险因素识别

本节利用 CHAID 决策树识别双车道公路路侧事故的显著性风险因素。决策树作为一种数据挖掘技术，在建筑[117]、军事[118]、地震监测[119]等领域得到了广泛的应用，然而，鲜有研究将其应用于交通事故风险识别中，尤其是路侧事故。CHAID 决策树是一种能够从大量数据中提取重要信息的数据分割技术[120]，在一

次测试完成后，通过 CHAID 统计算法对数据进行分割，数据的原始节点会被分成尽可能多的子组，然后新的子组又会被继续划分。这个过程将持续下去，直到不能再划分。为了确定最优分割，卡方独立检验（chi-square independence test）被用来检验每个输入变量（路侧事故致因因素）对结果变量（路侧事故发生）的潜在作用。因此，CHAID 决策树能够使用一系列 if-then-else 规则为识别导致路侧事故多发的显著性风险因素提供详细信息。

此外，为了防止数据过拟合，CHAID 算法使用经多重检验校正的 p 值作为分割标准，p 值对分割涉及的数据组数非常敏感，并趋向于避免数据分割成太小的子组。p 值越小，表明决策树模型的拟合优度越大。利用 F 统计量中数据均值的差异性，p 值的计算原理如式（4-3）所示[121]。

$$p = \frac{\text{TSS} - \text{WSS} / (G-1)}{\text{WSS} / (N-G)} \sim F_{(G-1),(N-G)} \tag{4-3}$$

式中，TSS 为数据分割前的总平方和；WSS 为数据方差；G 为分割后产生的节点数；N 为数据类别个数。

为了进行交叉验证，将获得的事故仿真数据划分为训练数据集（70%）和测试数据集（30%），训练数据集用于拟合模型并估计模型参数，而测试数据集用于确定模型的泛化能力，并验证模型对自变量的适用性。本章使用穷举 CHAID 算法，因为该算法在检查所有可能的数据分割方面表现得更优越[122]。为了限制决策树的生长，将数据分类水平设置为 4。此外，为了尽量减少数据的内在不平衡性，选择 100∶1 的误分类成本比率实现 CHAID 决策树对路侧事故显著性风险因素的准确识别。

CHAID 决策树为每个分类规则提供具体的百分比数值，该值表示各个分类规则的置信度水平（准确性）。通过 CHAID 决策树分析，训练数据集和测试数据集的分类准确性均为 94%。此外，训练数据集和测试数据集各节点的 p 值均为 0.001＜0.05（显著性水平），说明分类比较准确，没有发生过拟合。

CHAID 决策树从整体数据集中抽取了 3783 个样本进行测试，其中，涉及路侧事故发生的数据占 22%。根据父节点到子节点的不同分支，测试数据集被分成 67 个子组。决策树模型中包含了圆曲线半径、硬路肩宽度、纵坡坡度、路面附着系数、车速和车型，如图 4-4 所示，说明这些变量是影响路侧事故发生的重要风险因素。而超高横坡度和圆曲线加宽没有被列入决策树模型中，说明这些变量对改善路侧安全水平的作用不够显著。

图 4-4 显示了分类置信度水平较高的决策树模型。从图 4-4 可以看出，第一个分类水平中的数据是依据车速划分的，说明车速对路侧事故的影响比较显著，而其他风险因素在这个分类水平中被认为是相对不显著的风险因素。依次类推，

可以得到数据在第二～第四分类水平的划分情况。通过对 3783 个测试数据的分析，对生成的分类规则进行筛选和整理，如表 4-3 所示。

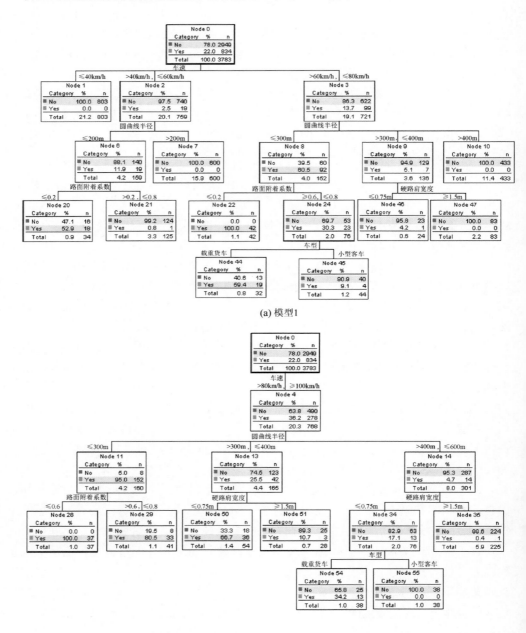

(a) 模型1

(b) 模型2

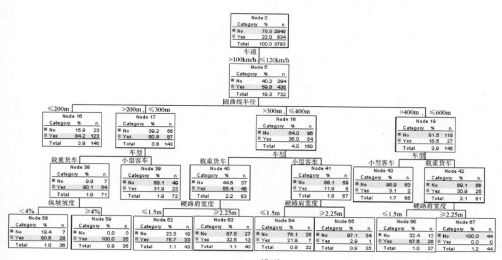

(c) 模型3

图 4-4　决策树模型

注："No" 表示没有发生路侧事故，"Yes" 表示发生路侧事故。

表 4-3　分类规则

编号	分类水平				路侧事故比例/%
	1	2	3	4	
1	≤40km/h	—	—	—	0
2	40km/h< v≤60km/h	R≤200m	μ≤0.2	—	52.9
			0.2<μ≤0.8	—	0.8
3		200m<R	—	—	0
4	300m<R≤400m	R≤300m	—	—	60.5
		300m<R≤400m	—	—	5.1
		400m<R	—	—	0
5	60km/h< v≤80km/h	R≤300m	μ≤0.2	—	100
			0.6≤μ≤0.8	—	30.3
6			0.6≤μ≤0.8	载重货车	59.4
				小型客车	9.1
7		300m<R≤400m	w≤0.75m	—	4.2
			w≥1.5m	—	0
8	80km/h< v≤100km/h	300m<R≤400m	w≤0.75m	—	66.7
			w≥1.5m	—	10.7

编号	分类水平				路侧事故比例/%
	1	2	3	4	
9	80km/h<v≤100km/h	400m<R≤600m	w≤0.75m	载重货车	34.2
				小型客车	0
			w≥1.5m	—	0.4
10		300m<R≤400m	载重货车	w≤1.5m	76.7
				w≥2.25m	32.5
11	100km/h<v≤120km/h	400m<R≤600m	载重货车	w≤1.5m	67.6
				w≥2.25m	0
12		200m<R≤300m	载重货车	i_1<4%	80.6
				i_1≥4%	100

注：v代表车速（km/h）；R代表圆曲线半径（m）；μ代表路面附着系数；w代表硬路肩宽度（m）；i_1代表纵坡坡度（%）；"—"表明数据在对应分组水平下没有被继续分类。

表 4-3 所示的每个分类规则对应不同的风险因素组合，在《公路路线设计规范》（JTG D20—2017）规定的基础上，通过分析这些组合对路侧事故比例的影响，得出以下重要结论和路侧安全改进措施。

（1）根据分类规则 1 可得，当 v≤40km/h 时，其他风险因素对路侧事故的发生均不起作用，且路侧事故比例为 0%。因此，40km/h 被认为是保证路侧事故不发生的相对安全车速。

（2）由分类规则 2～12 可得，当 v≥40km/h 时，圆曲线半径对路侧事故有显著影响，且路侧事故比例随着圆曲线半径的增大呈减小趋势。分类规则 12 表明，当 100km/h<v≤120km/h 和 200m<R≤300m 时，纵坡坡度对载重货车路侧事故的发生有一定的影响，且当纵坡坡度≥4%时，路侧事故比例增加到 100%。这表明，随着纵坡坡度的增大，路侧事故的发生概率增加。

（3）分类规则 6 和分类规则 9 表明了在同样的道路条件下，载重货车的路侧事故比例高于小型客车的路侧事故比例。由此可以得出结论：由于载重货车的重心较高，其发生路侧事故的风险也高。

（4）根据分类规则 7 可得，当 60km/h<v≤80km/h，300m<R≤400m 时，硬路肩宽度对减少路侧事故有一定作用，但改善不明显；根据分析规则 8 和分析规则 9 可得，当 80km/h<v≤100km/h 及 300m<R≤600m 时，硬路肩宽度对路侧事故产生重大影响，且设置硬路肩宽度≥1.5m 能明显降低路侧事故比例。因此，对于车速 80km/h<v≤100km/h 及圆曲线半径 300m<R≤600m 的路段，硬路肩宽度应≥1.5m。

（5）分析规则 9 表明，当 80km/h<v≤100km/h，400m<R≤600m 时，如果硬路肩宽度为 0.75m，载重货车的路侧事故比例为 34.2%，小型客车的路侧事故比例为 0%；如果硬路肩宽度≥1.5m，载重货车和小型客车的路侧事故比例均为 0.4%。这充分说明与小型客车相比，硬路肩宽度对载重货车路侧事故的影响更显著。

（6）从分析规则 10 和分析规则 11 可以看出，当 100km/h<v≤120km/h，300m<R≤600m 时，设置硬路肩宽度≥2.25m 可以降低载重货车发生路侧事故的概率。因此，对于车速 100km/h<v≤120km/h 和圆曲线半径 300m<R≤600m 的路段，为保证载重货车行驶安全，硬路肩宽度应≥2.25m。

4.1.4　显著性风险因素影响程度

4.1.3 节利用决策树分析方法，探讨了不同的风险因素组合与公路路侧事故之间的关系，识别了公路路侧事故显著性风险因素。为了深入了解各显著性风险因素之间的相互作用对路侧事故的影响，本节提出了基于 Logistic 回归模型的路径分析方法，根据显著性风险因素对路侧事故的影响程度，调查了这些因素的重要度。

路径分析是结构方程模型（structural equation modelling，SEM）的一种数据分析形式，该模型中的所有变量均为观测变量。SEM 不仅可以检验自变量对因变量的直接影响，还可以通过其他变量（中介变量）分析自变量对因变量产生的间接影响[123]。在路径分析中，中介模型（mediation model）可用来理解变量 x_a 如何将其影响传递给变量 z，如模型（4-4）和模型（4-5）所示。模型（4-4）展示了变量 x_a 首先将影响作用于中介变量 y_b 的传递路径，模型（4-5）展示了变量 x_a 对变量 z 的直接影响和通过中介变量 y_b 对变量 z 的间接影响的传递路径。

$$y_b = \beta_0 + \beta_1 x_a + \varepsilon_1 \tag{4-4}$$

$$z = \alpha_0 + \alpha_1 y_b + \alpha_2 x_a + \varepsilon_2 \tag{4-5}$$

式中，ε_1、ε_2 为随机误差；α_0、β_0 为截距；α_1、β_1、α_2 为偏回归系数。

模型的偏回归系数能够表示各输入变量对结果变量的直接影响，但由于各输入变量的单位不同，不能直接反映其对结果变量的影响大小。为此，通过拟合二元 Logistic 回归模型，得到能够用于检验输入变量对结果变量的直接影响大小的标准回归系数 α_a'，计算方法如式（4-6）所示[124]：

$$\alpha_a' = \alpha_a (S_a / S_z) \tag{4-6}$$

式中，α_a 为变量 x_a 的偏回归系数；S_a 为变量 x_a 的标准差；S_z 为 Logistic 回归模型中随机变量 z 的标准差，取 $\pi / \sqrt{3}$ [124]。

根据式（4-7）可计算变量 x_a 通过中介变量 y_b 对变量 z 的间接影响 γ_a [125]：

$$\gamma_a = \sum_{b=1}^{n} \beta_{ab} \alpha_b' \tag{4-7}$$

式中，β_{ab} 为变量 x_a 与中介变量 y_b 之间的相关系数；α_b' 为标准回归系数。

由式（4-6）和式（4-7）可得到变量 x_a 对变量 z 的总体影响 χ_a 为

$$\chi_a = \gamma_a + \alpha_a' \tag{4-8}$$

将风险因素圆曲线半径、硬路肩宽度、纵坡坡度、路面附着系数、车速和车型输入 Logistic 回归模型中，结果发现这些风险因素同样具有统计学意义，即在95%置信度水平下，p 值均 <0.05，Logistic 回归模型决定系数 $R^2 = 0.868$，表明模型拟合良好。表 4-4 显示了模型参数估计值，根据标准回归系数可得各个风险因素对路侧事故的直接影响程度由大到小依次为车速（3.321）、圆曲线半径（−2.572）、车型（−1.005）、路面附着系数（−0.827）、硬路肩宽度（−0.812）和纵坡坡度（0.314）。结果符合实际工程经验，即车速和纵坡坡度与路侧事故的发生呈正相关，圆曲线半径、车型、路面附着系数、硬路肩宽度与路侧事故的发生呈负相关。

表 4-4　模型参数估计值

风险因素	偏回归系数	标准差	p 值	标准回归系数
圆曲线半径	−0.033	141.388	<0.05	−2.572
硬路肩宽度	−2.527	0.583	<0.05	−0.812
纵坡坡度	0.430	1.325	<0.05	0.314
路面附着系数	−6.699	0.224	<0.05	−0.827
车速	0.213	28.282	<0.05	3.321
车型	−3.645	0.5	<0.05	−1.005

需要注意的是，与真实的事故数据不同，所有风险因素的取值均为仿真试验中人为设定的，故各个风险因素之间是相互独立的。为了考察风险因素之间的交互作用对路侧事故发生的间接影响，可将风险因素之间的相关系数作为它们之间的交互作用。

由式（4-6）和式（4-7）计算可得路径分析结果如图 4-5 和表 4-5 所示。由图 4-5 可得，所有风险因素均具备相关性，说明除直接影响外，每个风险因素均通过与之相关的其他风险因素对路侧事故产生间接影响。在这些交互作用中，车速-圆曲线半径组合的交互作用对路侧事故发生的影响最大，为−0.891，交互作用为负值表明两风险因素之间存在相互制约的关系。从图 4-5 还可发现其他影响较大的交互作用，如车速-车型组合（−0.684）、圆曲线半径-车型组合（0.679）、车速-路面附着系数组合（−0.614）、圆曲线半径-路面附着系数组合（−0.606）和车速-硬路肩宽度组合（−0.596）。

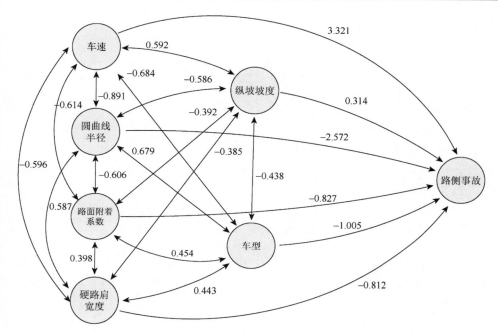

图 4-5　路径分析结构

表 4-5 主要展示了各个风险因素对路侧事故产生的间接影响和整体影响。在间接影响方面，车速通过圆曲线半径对路侧事故产生的间接影响最大，为 2.292；同时，圆曲线半径通过车速对路侧事故产生的间接影响最大，为–2.960。此外，其他风险因素也通过车速和圆曲线半径对路侧事故产生最大和第二大间接影响。这些结果强调了车速和圆曲线半径仍然是影响公路路侧事故发生的最主要风险因素。

在整体影响方面，按照影响程度由大到小依次排序为车速（7.749）、圆曲线半径（–7.644）、车型（–6.086）、路面附着系数（–5.496）、硬路肩宽度（–5.373）和纵坡坡度（2.607）。与直接影响相比，这些风险因素的重要度顺序并没有因间接影响而改变，这表明各个风险因素的间接影响对路侧事故的发生难以起到主导作用。

表 4-5　风险因素对路侧事故的影响程度

风险因素	直接影响	间接影响						整体影响
		车速	圆曲线半径	路面附着系数	硬路肩宽度	纵坡坡度	车型	
车速	3.321	—	2.292	0.508	0.484	0.461	0.684	7.749
圆曲线半径	–2.572	–2.960	—	–0.501	–0.477	–0.456	–0.679	–7.644

续表

风险因素	直接影响	间接影响						整体影响
		车速	圆曲线半径	路面附着系数	硬路肩宽度	纵坡坡度	车型	
路面附着系数	−0.827	−2.040	−1.559	—	−0.323	−0.305	−0.443	−5.496
硬路肩宽度	−0.812	−1.979	−1.510	−0.329	—	−0.300	−0.443	−5.373
纵坡坡度	0.314	1.066	1.007	0.124	0.013	—	0.083	2.607
车型	−1.005	−2.272	−1.746	−0.366	−0.360	−0.341	—	−6.086

4.1.5　路侧事故概率预测模型

为了预测路侧事故的发生概率，本节基于识别的路侧事故显著性风险因素，借助 Netica 软件中的贝叶斯网络（Bayesian network）结构建立路侧事故发生概率计算模型。

贝叶斯网络技术始于 20 世纪 90 年代末，自 2000 年以来被广泛应用。贝叶斯网络又称信念网络（belief network），被认为是表示和推理不确定知识的最有效的理论模型之一，是用图形表示一组选定变量的联合概率分布技术[126, 127]。该网络结构是一个有向无环图，其中，节点集代表各种变量，有向边表示变量之间的依赖关系，变量之间的置信度或相关强度可以用条件概率表来描述。通过统计推理函数和贝叶斯定理的自动学习，可以实现预测、诊断和分类等任务。贝叶斯网络结构可以看作模型的定性部分，而增加的概率参数代表了模型的定量维数[128]。贝叶斯网络利用概率来表示各种不确定性，并应用概率规则来实现训练和推理过程，分别如式（4-9）和式（4-10）所示。

$$P(B_{ij}|A_j) = \frac{P(A_j|B_{ij})P(B_{ij})}{\sum_{j=1}^{m} P(A_j|B_{ij})P(B_{ij})} \tag{4-9}$$

$$P(A_j|B_{1j}\cdots B_{nj}) = \frac{P(B_{1j}|A_j)P(B_{2j}|A_j)\cdots P(B_{nj}|A_j)P(A_j)}{\sum_{j=1}^{m} P(B_{1j}|A_j)P(B_{2j}|A_j)\cdots P(B_{nj}|A_j)P(A_j)} \tag{4-10}$$

式中，$P(A_j|B_{ij})$ 为在 B_{ij}（路侧事故致因因素）影响下 A_j（仿真车辆的最终状态）的先验概率（$i = 1, 2, \cdots, n$；$j = 1, 2, \cdots, m$）；$P(B_{ij}|A_j)$ 为在 A_j 发生的前提下，B_{ij} 的条件概率；$P(A_j|B_{1j}B_{2j}\cdots B_{nj})$ 为在一系列变量（$B_{1j}B_{2j}\cdots B_{nj}$）影响下 A_j 的后验概率。

上述概率计算过程也可借助有效的算法来实现，如 Netica 软件中的梯度下降

（gradient descent，GD）算法。与其他理论模型相比，由于贝叶斯网络具备以下优点，其比较适用于道路交通安全研究。

（1）将数据与专家经验和先验知识相结合。

（2）能够避免数据过拟合。

（3）有能力处理缺失数据。

（4）通过提供容易理解的图形来表示变量间的因果关系[129]。

贝叶斯网络作为构造事故预测模型的有效工具，已被广泛应用于事故伤害预测和事故概率预测，并且在预测事故严重度方面比传统回归模型具有更高的准确性。然而，利用贝叶斯网络对路侧事故概率进行定量分析的研究还很少。

通常纳入贝叶斯网络的自变量类别越少，预测结果越精确[130]。考虑到纵坡坡度对路侧事故的整体影响（重要度）最小，为 2.607，而其他显著性风险因素的重要度均在 5 以上，故本节将前五个显著性风险因素（车速、圆曲线半径、车型、路面附着系数和硬路肩宽度）纳入贝叶斯网络分析中，来建立路侧事故概率预测模型。

基于路径分析结果建立贝叶斯网络结构，使用 Netica 软件中的 GD 算法对路侧事故仿真数据进行贝叶斯网络参数学习，由此可以得到每个节点的先验概率分布和条件概率分布。此外，根据证据敏感性分析（表 4-6）可得，基于交互信息值（magnitude of mutual information）得到的风险因素重要度排序与路径分析结果得到的风险因素重要度排序一致，验证了构建的路侧事故概率预测模型的有效性，如图 4-6（a）所示。

表 4-6　以路侧事故为查询节点的证据敏感性分析

节点	交互信息值	比例/%	信念方差
路侧事故	0.84054	100	0.1968046
车速	0.13101	15.6	0.0358728
圆曲线半径	0.07927	9.43	0.0220364
车型	0.01063	1.27	0.0028862
路面附着系数	0.00959	1.14	0.0026972
硬路肩宽度	0.00731	0.87	0.0020842

构建的路侧事故概率预测模型可以预测不同变量组合下的路侧事故概率（后验概率）。例如，假设某路段为干燥沥青路面，限速 80km/h，圆曲线半径为 235m，硬路肩宽度为 0.75m，需要预测载重货车通过该路段发生路侧事故的概率。首先将 60km/h$<v\leqslant$80km/h、200m$<R\leqslant$300m、0.6$\leqslant\mu\leqslant$0.8、$w\leqslant$0.75m 和车型为 0 的状态

设置为 100%，经 Netica 软件自动更新后，预测得到载重货车以 60km/h＜v≤80km/h 的车速经过该路段发生路侧事故的概率为 38.7%，如图 4-6（b）所示。

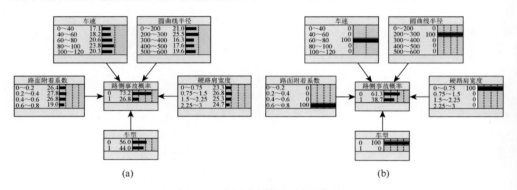

(a)　　　　　　　　　　　　　　(b)

图 4-6　路侧事故概率预测模型

注：在"车型"节点中，0 表示载重货车，1 表示小型客车；在"路侧事故"节点中，
0 表示没有路侧事故发生，1 表示有路侧事故发生。

此外，构建的路侧事故概率预测模型还可以预测在任意数量（1～5）的风险因素（缺少某些风险因素）影响下的路侧事故概率。例如，某路段限速 80km/h，硬路肩宽度为 0.75m，但缺乏其他风险因素指标，在这种情况下同样可以计算出小型客车以 60km/h＜v≤80km/h 的速度经过该路段时发生路侧事故的概率为 18.2%，如图 4-7（a）所示。

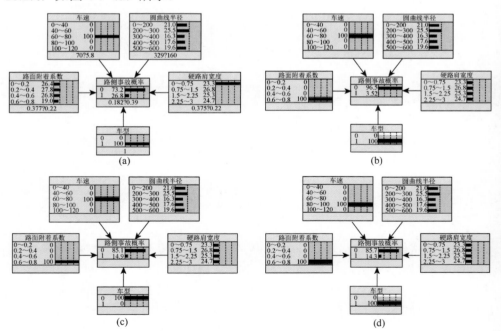

(a)　　　　　　　　　　　　　　(b)

(c)　　　　　　　　　　　　　　(d)

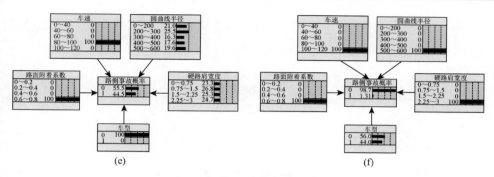

图 4-7　路侧事故概率预测结果

又如，假设某路段为干燥沥青路面，而圆曲线半径和硬路肩宽度未知。如果路段限速 80km/h，那么小型客车发生路侧事故的概率为 3.52%，载重货车发生路侧事故的概率为 14.9%，如图 4-7（b）和图 4-7（c）所示；如果路段限速 100km/h，那么小型客车发生路侧事故的概率为 14.3%，载重货车发生路侧事故的概率高达 44.5%，如图 4-7（d）和图 4-7（e）所示。结果进一步说明，载重货车比小型客车发生路侧事故的风险更高，尤其是当车速超过 80km/h 时。当然，涉及的因素越多，路侧事故概率预测模型预测的概率就越精确。

需要注意的是，当各个风险因素的取值处于趋向于避免路侧事故发生的极值状态时，即使将车速设为 120km/h，无论对于载重货车还是小型客车，路侧事故的发生概率并没有预想中那么大，只有 1.31%，如图 4-7（f）所示。这充分说明了在难以对驾驶行为进行有效管理和控制的情况下，合理的道路设计对提升路侧安全的重要性。因此，为了进一步改善路侧安全设计，降低路侧事故的发生概率，应对导致路侧事故多发的风险因素阈值进行确定，从而提出双车道公路路侧事故多发点的判别方法，详见 4.3 节。

4.2　路侧事故乘员伤害分析

对于路侧危险度较高的路段，虽然路侧事故的发生概率很低，但是一旦发生路侧事故，后果往往很严重。因此，开展路侧事故风险评价研究不应只考虑路侧事故的发生概率，更应关注车辆驶入路侧后的车辆损失和人员伤亡情况，即事故严重度。

4.2.1　研究变量

1. 试验参数

根据我国《公路路线设计规范》（JTG D20—2017）中关于道路设计的一般规

定，本节的仿真试验中设置的试验参数包括车辆驶出速度、圆曲线半径、边坡坡度、路基高度和车型，它们的取值如表 4-7 所示。

表 4-7 试验参数

参数	取值				
车辆驶出速度/(km/h)	40	60	80	100	120
圆曲线半径/m	+ ∞	600	500	400	300	200
边坡坡度	1 : 6.5	1 : 5.5	1 : 4.5	1 : 3.5	1 : 2.5	1 : 1.5
路基高度/m	0.5	2.5	4.5	6.5	8.5	10.5
车型	"载重货车" = 0			"小型客车" = 1		

此外，车辆发生失控后偏离行车道的角度同样对路侧事故严重度产生一定的影响。事实上，许多因素决定车辆驶离行车道的角度，由于目前我国还未涉及相关研究，根据欧洲的一项关于路侧事故统计的资料[4]，实际路侧事故案例中车辆的驶出速度与驶出角度存在较为密切的关系，如图 4-8 所示。根据图 4-8 的拟合曲线，能够近似估算出不同驶出速度对应的驶出角度，如表 4-8 所示。

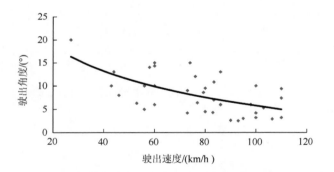

图 4-8 驶出角度与驶出速度的关系

表 4-8 驶出速度与驶出角度取值

变量	取值								
驶出速度/(km/h)	40	50	60	70	80	90	100	110	120
驶出角度/(°)	12	11	9	9	8	7	6	6	5

2. 加速度严重性指数

ASI 是欧盟标准 EN 1317—2—1998 中用于衡量车辆与护栏碰撞事故中乘员伤

害风险的指标，ASI 越大，代表乘员伤害越严重；当 ASI＞1 时，表明事故的碰撞强度超过了驾乘人员可忍受的最大限度。与理论头部撞击速度（theoretical head impact velocity，THIV）和碰撞后头部减速度（post-collisional head deceleration，PHD）等其他乘员伤害风险指标相比，由于 ASI 考虑了碰撞事故中车体垂直方向的受力，比较适用于路侧事故中车辆发生侧翻或翻滚时的乘员损伤评价，ASI 的计算方法如下[131]：

$$\mathrm{ASI}(t) = \sqrt{\left(\overline{a}_x/\hat{a}_x\right)^2 + \left(\overline{a}_y/\hat{a}_y\right)^2 + \left(\overline{a}_z/\hat{a}_z\right)^2} \tag{4-11}$$

式中，$\hat{a}_x$、$\hat{a}_y$、$\hat{a}_z$ 分别为乘员在车辆的纵向、横向和竖向所能承受的最大加速度，在乘员佩戴安全带的情况下，$\hat{a}_x$ 取 12g，$\hat{a}_y$ 取 9g，$\hat{a}_z$ 取 10g（$g = 9.8\mathrm{m \cdot s^{-2}}$）；$\overline{a}_x$、$\overline{a}_y$、$\overline{a}_z$ 分别为在 50ms 间隔内，车辆质心位置在纵向、横向和竖向的平均加速度最大值，单位为 $\mathrm{m \cdot s^{-2}}$。

$\overline{a}_x$、$\overline{a}_y$、$\overline{a}_z$ 的值一般通过仿真试验得到的车辆各个方向的加速度特性曲线经低通滤波后得到，计算公式如下[132]：

$$\overline{a}_x = \frac{1}{\tau}\int_t^{t+\tau} a_x \mathrm{d}t \,,\quad \overline{a}_y = \frac{1}{\tau}\int_t^{t+\tau} a_y \mathrm{d}t \,,\quad \overline{a}_z = \frac{1}{\tau}\int_t^{t+\tau} a_z \mathrm{d}t \tag{4-12}$$

式中，a_x、a_y、a_z 分别为车辆质心位置在纵向、横向和竖向的加速度，单位为 $\mathrm{m \cdot s^{-2}}$；τ 为时间间隔，取 50ms。

4.2.2　仿真试验一

本节利用 PC-Crash 软件建立了硬路肩宽度为 1.5m、行车道宽度为 3.75m 的双向两车道道路模型。考虑到道路表面和边坡坡面的附着性能不同，参考《道路交通事故车辆速度鉴定》（GB/T 33195—2016）中的相关规定，分别设置道路表面和边坡坡面的附着系数为 0.7 和 0.55。同样选择"BMW-116d autom"和"ASCHERSLEBEN KAROSS"作为小型客车和载重货车的代表车型，并按照表 4-1 的各项取值对两种车型的相关尺寸、参数进行设置，构建的试验场景如图 4-9 所示。

根据表 4-7 的试验参数取值，从路基高度和边坡坡度中选取 20 种组合，通过设置 6 种圆曲线半径，并对 2 种车型设置 5 种驶出速度，利用 PC-Crash 软件共获取 20×6×5×2＝1200 组数据，其中，直线段有 200 组，曲线段有 1000 组。根据每次仿真试验获得的车辆纵向、横向加速度特性曲线，利用式（4-11）和式（4-12）可计算出每组试验数据对应的 ASI，根据获得的试验数据分别探究了各个试验变量与 ASI 之间的关系，如图 4-10（a）～图 4-10（d）所示。

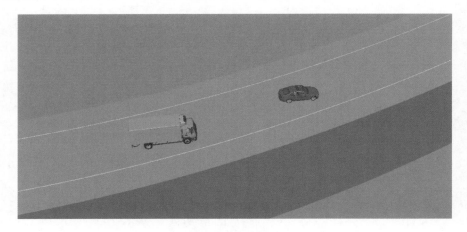

图 4-9　试验场景

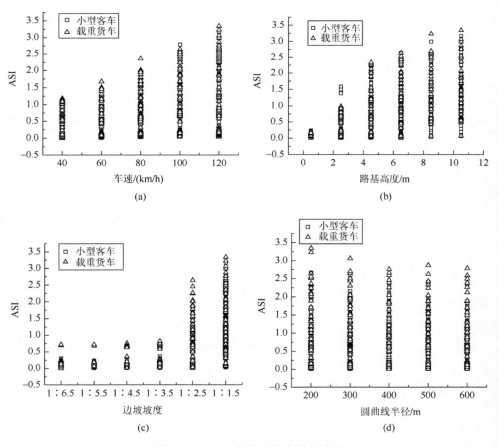

图 4-10　ASI 与各个试验变量的关系

无论对于小型客车还是载重货车，由图 4-10（a）和图 4-10（b）可以看出，随着车速和路基高度的增大，ASI 均呈现增大的趋势；由图 4-10（c）可以看出，随着边坡坡度的增大，ASI 呈逐渐增大的趋势，且增大的幅度越来越明显；由图 4-10（d）可以看出，随着圆曲线半径的增大，ASI 呈逐渐减小的趋势，且减小的幅度越来越小。依据 ASI 随各个试验变量的变化特点分析可得，与路基高度和车速相比，边坡坡度的增大更易使驶入路侧的车辆发生侧翻，因此倾向于加重路侧事故的严重度；而圆曲线半径的增大对降低路侧事故严重度产生的影响相对较小。另外，从小型客车、载重货车 ASI 的分布特点可以看出，在相同的仿真试验条件下，大部分载重货车的 ASI 大于小型客车的 ASI，结合工程实践经验分析认为，由于载重货车的重心较高，在驶入路侧边坡后，比小型客车更容易发生侧翻，更倾向于发生严重的路侧事故。

此外，从图 4-10（b）和图 4-10（c）还可看出，当路基高度＞2m，或边坡坡度＞1∶3.5 时，部分 ASI 超过了安全阈值 1，表明车辆驶入路侧后造成的乘员伤害逐渐趋于严重，因此有必要设置路侧护栏进行防护。上述结论与《公路交通安全设施设计规范》（JTG D81—2017）中关于路侧护栏设置条件的规定一致。故本节从仿真试验一构建的 20 种边坡坡度和路基高度的组合中，筛选出符合路侧护栏设置条件的 5 种组合（分别为 1∶1.5 和 4.5m、1∶1.5 和 6.5m、1∶1.5 和 8.5m、1∶1.5 和 10.5m、1∶2.5 和 6.5m），进一步开展在路侧护栏防护作用下的公路路侧事故严重度评估分析。

4.2.3　路侧护栏模型

利用 PC-Crash 软件可调取简单的单跨波形梁护栏模型，由于模型的内置参数与实际路侧护栏并不相符，需进一步对模型的各个参数进行优化设置。本节参考文献[133]的路侧护栏构建方法，并结合实际的路侧护栏事故案例，利用 PC-Crash 软件构建与实际事故相符的道路环境和车型，之后通过对比实际事故车辆与试验车辆的最终停止状态和位置，来反推路侧护栏的最优参数。下面选取一起典型的事故案例进行护栏模型的参数优化。

事发路段为双向两车道公路，发生事故时为湿滑的沥青路面，路侧设有单跨波形梁护栏，经现场勘测，事发路段的圆曲线半径约 96m，边坡坡度约 1∶3.5，事故车辆为轻型普通货车，发生事故时的总重量约 4560kg；经事故调查分析可得，发生事故时的车速约 55km/h，与护栏的碰撞角度约 13°，事故概况如图 4-11 所示。根据上述事故案例信息，利用 PC-Crash 软件调入与事故车辆外形相近的车辆刚体模型"ABG-WERKE-STRASSENWALZE"，并根据事故车辆的参数、尺寸和载重对其加以调整,构建的道路和车辆模型如图 4-12 所示。其中,路面附着系数设为 0.5。

图 4-11　事故概况

图 4-12　道路和车辆模型

护栏通常由横梁、防阻块、立柱和地基组成,在 PC-Crash 软件中可将护栏视为车辆模型，通过确定护栏各部件与车辆结构的对应关系，不断调整护栏的相关尺寸和参数来构建接近真实护栏的优化模型。

对护栏性能的设置往往从弹性性能和塑性性能两方面入手，本节主要通过对比路侧事故中事故车辆与仿真车辆碰撞护栏后的运动状态和最终停止位置来构建护栏优化模型，没有涉及力学分析。此外，影响车辆碰撞后运动状态的主要因素为护栏的弹性性能，而非塑性性能，因此，可将护栏优化模型视为弹性物体，主要进行弹性性能的设置。

横梁和防阻块作为护栏主要的吸能结构，可将二者等效为车辆侧面的钣金结构，考虑到车辆与护栏接触会产生摩擦力和反弹力，但摩擦系数 f、反弹系数 ω 主要取决于护栏和车辆的本身材质，难以精确计算。通常护栏采用钢质结构，此外，考虑到路侧护栏事故中，车辆的前保险杠（多为塑料材质）为主要碰撞部位，根据上述两种材料接触特性，并结合仿真经验，暂取 $f = 0.35$，$\omega = 0.25$。

立柱和地基对护栏起主要支撑作用。在 PC-Crash 软件中，可将立柱的地上部分视为车架，考虑到土壤松动对地基的影响，可将立柱的地下部分视为弹簧元件，从而将立柱的地下部分和地基视为车辆悬架，可通过设置悬架刚度系数 E 来调整两者之间的相互作用。根据文献[134]关于护栏碰撞的测试结果，E 取 18889N/m。

相邻护栏单体之间通常由螺栓连接，其连接方式可视为 PC-Crash 软件中半挂车与牵引车之间的连接。根据路侧事故的现场实地勘测，护栏连接处的高度一般为 0.6m，交叠尺寸为 0.1m，即在 PC-Crash 软件中设置牵引销的高度为 0.6m，牵引销至半挂车和牵引车的距离均为 0.05m。此外，螺栓承受的拉力可视为牵引车对半挂车的牵引力，参照《波形梁钢护栏 第 1 部分：两波形梁钢护栏》（GB/T 31439.1—2015）中有关波形梁连接螺栓的材质和规格，将其极限拉力设定为 70kN。而对于护栏模型质量 m，由于涉及护栏自重和地基对立柱的阻尼作用，难以对其进行量化分析，暂定护栏模型质量 $m = 1755$kg，随后可通过仿真模拟进一步调试。

本次试验共调取 10 个护栏单体模型组建护栏系统。根据我国《波形梁钢护栏 第 1 部分：两波形梁钢护栏》（GB/T 31439.1—2015）中关于波形梁尺寸的规定，并结合路侧事故的现场勘测，研究确定护栏模型的尺寸，如表 4-9 所示。其中，将护栏横梁上、下沿离地高度分别视为车辆高度和最小离地间隙，护栏横向宽度视为车辆轮距，护栏连接的交叠区域视为车辆前悬，此外，考虑地基对护栏立柱的影响，设置护栏的重心高度为 0。

表 4-9　护栏模型的尺寸

参数	尺寸/m
单跨护栏长度	4.00
护栏横梁上沿离地高度	0.87

参数	尺寸/m
护栏横梁下沿离地高度	0.56
护栏横向宽度	0.46
护栏重心高度	0.00

根据事故案例信息，将仿真车辆的速度设为 55km/h，并以 13°与路侧护栏发生碰撞。通过对摩擦系数 f、反弹系数 ω 和护栏模型质量 m 的反复调试，确定了当 $f = 0.37$、$\omega = 0.26$、$m = 1657$kg 时，仿真车辆的最终状态和位置（图 4-13）与事故概况（图 4-11）最相符，由此获得了最优路侧护栏模型。

图 4-13　仿真结果

4.2.4　仿真试验二

将构建的最优路侧护栏模型调入 4.2.2 节的试验场景中，针对满足护栏设置条件的 5 种边坡坡度和路基高度的组合，依据表 4-7 所示的试验参数取值，通过设置不同的圆曲线半径，以及载重货车、小型客车的不同驶出速度，进一步利用 PC-Crash 软件开展在路侧护栏保护作用下的路侧事故严重度分析，试验共收集 $5 \times 6 \times 5 \times 2 = 300$ 组数据，其中，直线段有 60 组，曲线段有 240 组。

为了研究路侧护栏的防护能力，试验记录了每次仿真环境下车辆偏离行车道后的运动状态，如表 4-10 所示。

表 4-10　车辆运动状态

（a）小型客车

车速/(km/h)	圆曲线半径/m					
	+∞	600	500	400	300	200
40	＊	＊	＊	＊	＊	＊
60	＊	＊	＊	＊	＊	＊
80	＊	＊	＊	＊	＊	＊
100	＊	＊	＊	＊	※	※
120	＊	＊	※	※	※	※

（b）载重货车

车速/(km/h)	圆曲线半径/m					
	+∞	600	500	400	300	200
40	＊	＊	＊	＊	＊	＊
60	＊	＊	＊	＊	＊	※
80	＊	＊	＊	※	※	※
100	※	※	※	※	※	※
120	※	※	※	※	※	※

注："＊"代表"护栏拦住车辆"；"※"代表"护栏未拦住车辆"。

从表 4-10（a）和表 4-10（b）可以得出，随着圆曲线半径的减小，车辆更倾向于穿越护栏冲入路侧，研究分析认为，圆曲线半径的减小会导致车辆驶离行车道后与护栏碰撞的角度变大，使车辆穿越护栏的可能性增大；此外，在相同的仿真条件下，载重货车倾向于翻越护栏驶入路侧，原因仍是由于载重货车具有较高的重心。因此，为了充分发挥路侧护栏的防护作用，避免车辆冲出路外，针对载重货车流量较大的路段，应尽可能提高路侧护栏的高度，如图 4-14 所示；另外，针对公路弯道路段，可根据不同的公路线形和设计速度相应地减少护栏立柱的间距来加强护栏防护等级。

针对仿真试验二所获得的数据，本节对 4.2.2 节所述的 5 种边坡坡度和路基高度组合的 300 组数据进行对比分析，由此给出了在有、无路侧护栏防护作用下的小型客车、载重货车 ASI 的分布特征，如图 4-15 所示。由图 4-15 可以看出，在路侧护栏的防护作用下，无论车辆被护栏拦截，还是翻越护栏驶入路侧，小型客车、载重货车的 ASI 均有大幅减小。

图 4-14　加高的路侧护栏

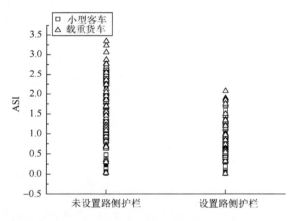

图 4-15　有、无路侧护栏防护作用下的 ASI 分布

4.2.5 　乘员伤害评估模型

　　为了进一步量化小型客车、载重货车在有、无路侧护栏条件下发生路侧事故的乘员伤害严重度，本节利用 SPSS 软件对仿真试验一和仿真试验二中收集的 $1200 + 300 = 1500$ 组数据进行回归分析。

　　考虑到不同车型的 ASI 之间的差异性，以及圆曲线半径对路侧事故严重度的影响，本节参照仿真试验一结果中各个试验变量之间与 ASI 的变化特点，分别拟合了针对双车道公路直线段和曲线段的小型客车、载重货车 ASI 的乘员伤害评估模型表达式，如表 4-11 所示。通过比较不同模型表达式的决定系数 R^2，确定了模型 1、5、7 和 12 分别为小型客车直线段、载重货车直线段、小型客车曲线段和载重货车曲线段的乘员伤害评估最优模型。

表 4-11　乘员伤害评估模型表达式

编号	道路类型	模型表达式	决定系数 R^2
1		$\text{ASI}_\text{c} = (0.01v_\text{c} + 0.127h + 0.008\text{e}^{0.121\alpha} + 0.16)(1 - 0.24X)$	0.975
2		$\text{ASI}_\text{c} = (0.01v_\text{c} + 0.566\text{e}^{0.99h} + 0.019\alpha - 1.718)(1 - 0.38X)$	0.863
3	直线段	$\text{ASI}_\text{c} = (0.002\text{e}^{0.001v_\text{c}} + 0.603\ln h + 8.851\times 10^{-14}\text{e}^{0.877\alpha} + 0.039)(1 - 0.41X)$	0.622
4		$\text{ASI}_\text{t} = (0.341\text{e}^{1.713v_\text{t}} + 0.085h + 0.001\text{e}^{0.208\alpha} - 0.05)(1 - 0.37X)$	0.765
5		$\text{ASI}_\text{t} = (0.006v_\text{t} + 0.12h + 6.544\times 10^{-9}\text{e}^{0.54\alpha} + 0.46)(1 - 0.31X)$	0.943
6		$\text{ASI}_\text{t} = (0.05v_\text{t} + 0.347\text{e}^{0.19h} + 2.602\times 10^{-11}\text{e}^{0.735\alpha} - 1.184)(1 - 0.26X)$	0.872
7		$\text{ASI}_\text{c} = (0.01v_\text{c} + 0.076h + 0.029\text{e}^{0.087\alpha} + 0.763R^{-0.247} + 0.35)(1 - 0.28X)$	0.982
8		$\text{ASI}_\text{c} = (0.01v_\text{c} - 1.849\text{e}^{-0.058h} + 6.155\times 10^{-6}\text{e}^{0.327\alpha} - 0.148R + 1.035)(1 - 0.23X)$	0.783
9	曲线段	$\text{ASI}_\text{c} = (0.013v_\text{c} + 0.161\ln h + 0.024\alpha - 0.176R - 1.015)(1 - 0.14X)$	0.833
10		$\text{ASI}_\text{t} = (0.953\text{e}^{0.006v_\text{t}} + 0.333\ln h + 0.359^{0.038\alpha} + 0.018R - 1.855)(1 - 0.36X)$	0.712
11		$\text{ASI}_\text{t} = (0.012v_\text{t} + 0.33\ln h + 0.034\alpha + 0.006\text{e}^{-0.34R} - 1.072)(1 - 0.38X)$	0.879
12		$\text{ASI}_\text{t} = (0.009v_\text{t} + 0.15h + 0.568\text{e}^{0.025\alpha} + 14.796R^{-0.013} - 13.01)(1 - 0.36X)$	0.971

注：ASI_c 为小型客车的加速度严重性指数；ASI_t 为载重货车的加速度严重性指数；v_c 为小型客车的驶出速度（km/h）；v_t 为载重货车的驶出速度（km/h）；h 为路基高度（m）；α 为边坡坡角（°）；$X=1$ 表示路侧设置护栏，$X=0$ 表示路侧未设置护栏。

从表 4-11 的最优模型表达式可以看出，无论对于小型客车还是载重货车，ASI 与路基高度、驶出速度近似呈正线性相关，与边坡坡度近似呈指数相关，与圆曲线半径近似呈幂相关。此外，在满足路侧护栏设置条件的直线段和曲线段，当小型客车发生路侧事故时，护栏的防护作用能够分别减少约 24% 和 28% 的乘员伤害；当载重货车发生路侧事故时，护栏的防护作用能够分别减少约 31% 和 36% 的乘员伤害。由此可以看出，在曲线段设置路侧护栏更有助于减少乘员伤害；另外，与小型客车相比，路侧护栏对载重货车的防护效果更为明显。

4.3　路侧事故风险评价

4.3.1　路侧事故多发点判别

路侧事故多发点判别是道路安全评价的一种有效方法与手段，通过基于历史事故资料的多发点分析，工程师可以快速把握道路交通安全问题的关键，对制定针对性的改善技术对策是非常有益的。

　　传统的路侧事故多发点判别方法包括事故数法、事故率法、事故严重度等价转化法、综合判定方法、质量控制法、累计频率法和移动步长法。考虑到上述方法的使用需收集交通量数据和路段长度，无法适用于本书获取的仿真数据，因此，结合文献[135]关于事故多发点判定方法的研究，认为当路侧事故的发生概率大于75%时，定义为路侧事故多发点。

　　本节基于 4.1.5 节路侧事故概率预测模型的结果，给出了导致双车道公路路侧事故多发的对应不同车速、车型、圆曲线半径、路面附着系数和硬路肩宽度的风险因素阈值，如表 4-12 所示。根据表 4-12 所示的结果，每种车速范围对应 1~4 条路侧事故多发点判别规则。当某条路段的各个风险因素满足这 18 条判别规则中的任何一条时，该路段就被认定为路侧事故多发路段。

表 4-12　双车道公路路侧事故多发点判别规则

编号	车型	车速/(km/h)	圆曲线半径/m	硬路肩宽度/m	路面附着系数	路侧事故的发生概率/%
1			$300<R\leqslant400$	$w\leqslant0.75$	$\mu\leqslant0.2$	$\geqslant75.9$
2		$80\geqslant v>60$	$200<R\leqslant300$	$w\leqslant0.75$	$\mu\leqslant0.6$	$\geqslant76.3$
3			$R\leqslant200$	$w\leqslant1.50$	$\mu\leqslant0.8$	$\geqslant84.9$
4			$500<R\leqslant600$	$w\leqslant0.75$	$\mu\leqslant0.2$	$\geqslant77.2$
5		$100\geqslant v>80$	$400<R\leqslant500$	$w\leqslant0.75$	$\mu\leqslant0.8$	$\geqslant75.0$
6	载重货车		$300<R\leqslant400$	$w\leqslant1.50$	$\mu\leqslant0.8$	$\geqslant84.8$
7			$R\leqslant300$	$w\leqslant2.25$	$\mu\leqslant0.8$	$\geqslant75.3$
8			$500<R\leqslant600$	$1.50<w\leqslant2.25$	$\mu\leqslant0.2$	$\geqslant79.3$
9		$120\geqslant v>100$		$w\leqslant1.50$	$\mu\leqslant0.8$	$\geqslant77.3$
10			$R\leqslant500$	$w\leqslant2.25$	$\mu\leqslant0.8$	$\geqslant78.2$
11		$80\geqslant v>60$	$R\leqslant300$	$w\leqslant0.75$	$\mu\leqslant0.2$	$\geqslant76.2$
12			$300<R\leqslant400$	$w\leqslant1.50$	$\mu\leqslant0.2$	$\geqslant75.3$
13		$100\geqslant v>80$	$200<R\leqslant300$	$w\leqslant1.50$	$\mu\leqslant0.4$	$\geqslant75.3$
14	小型客车		$R\leqslant200$	$w\leqslant2.25$	$\mu\leqslant0.8$	$\geqslant80.2$
15			$300<R\leqslant400$	$w\leqslant2.25$	$\mu\leqslant0.4$	$\geqslant81.5$
16		$120\geqslant v>100$		$w\leqslant1.50$	$0.4<\mu\leqslant0.6$	$\geqslant77.6$
17			$200<R\leqslant300$	$w\leqslant2.25$	$\mu\leqslant0.8$	$\geqslant75.9$
18			$R\leqslant200$	$w\leqslant3.00$	$\mu\leqslant0.8$	$\geqslant76.5$

　　选取 G203 国道的 K23＋157～K45＋180 路段进行路侧事故多发点判别方法

的有效性验证，G203 国道为一级公路，设计车速为 80km/h。通过收集和调查道路设计资料、车辆运行速度数据，根据表 4-12 所示的风险因素阈值，确定 K36 + 137.452 的位置为事故多发路段。此路段的圆曲线半径为 280m，硬路肩宽度为 1.5m，小型客车的运行速度主要分布在 100～120km/h 范围内，如图 4-16（a）所示；载重货车的运行速度主要分布在 80～100km/h 范围内，如图 4-16（b）所示。上述风险因素分别符合表 4-12 的判别规则 7 和判别规则 17。交警部门的事故统计资料显示，2014～2018 年，上述路段共发生了 80 多起路侧事故，已经被列为路侧事故高发区域。基于上述分析，验证了本节提出的双车道公路路侧事故多发点判别方法的准确性。

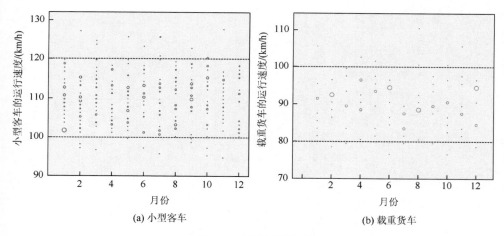

(a) 小型客车　　　　　　　　　　　　(b) 载重货车

图 4-16　运行速度分布

进行路侧事故多发点判别的重要意义在于，它可以帮助交通设计和管理部门在今后的道路建设与改造过程中，识别导致弯道路段路侧事故频发的关键风险因素，从而实施有效的管理对策或进行线形优化设计。例如，在表 4-12 所示的判别规则中，在相同车速范围下，载重货车的大部分风险因素阈值均大于小型客车的风险因素阈值，这说明为了保证载重货车安全驾驶，道路需要更严格的线形几何设计和路面条件设计标准。此外，对于载重货车车速>60km/h 或小型客车车速>80km/h 的弯道路段，部分路面附着系数阈值达到了最大值 0.8。因此，可以通过优化其他风险因素来降低路侧事故风险。

4.3.2　路侧事故严重度等级划分

本节基于 4.2 节构建的路侧事故乘员伤害评估模型，利用 Fisher 最优分割法对 ASI 的仿真试验数据进行分类，以获得路侧事故严重度等级划分方案，包括最优分级数及各级对应的指标阈值。

针对两次仿真试验获取的数据，结合 4.2.1 节介绍的 ASI 安全阈值，将 $ASI_c \leqslant 1$ 的数据筛选出来单独作为一组，规定其严重度等级为 Ⅰ 级，随后将剩余的 126 组数据按照 ASI 从小到大的顺序进行编号，生成 ASI_c 有序样本，记为 $x_i(i = 1, 2, \cdots, 126)$。同理，将 $ASI_t \leqslant 1$ 的数据筛选出来，规定其严重度等级为 Ⅰ 级，将剩余的 166 组数据生成 ASI_t 有序样本，记为 $x'_i\ (i = 1, 2, \cdots, 166)$。

参照 3.2 节关于 Fisher 最优分割法的实现步骤，通过 MATLAB 软件编写算法代码，计算两种有序样本的类直径和最小误差函数，绘制了最小误差函数随分类数 k 的变化曲线，如图 4-17 所示。

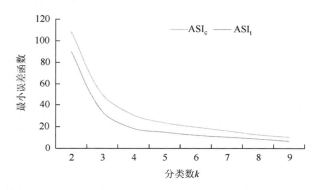

图 4-17　最小误差函数与分类数的关系

由图 4-17 可以看出，当 $k = 3$ 和 $k = 4$ 时，两种有序样本对应的最小误差函数曲线的曲率均存在明显变化。为了进一步确定最优分类数，下面分别计算了相邻分类数之间的最小误差函数比值 $\beta\ (k)$，如表 4-13 所示。

表 4-13　分类结果

样本类别	k	最小误差函数	分类情况	$\beta\ (k)$
ASI$_c$ 有序样本	2	108.321	{1~83} {84~126}	—
	3	50.012	{1~31} {32~83} {84~126}	1.64
	4	30.467	{1~31} {32~61} {62~83} {84~126}	1.31
	5	23.319	{1~31} {32~61} {62~83} {84~102} {103~126}	—
ASI$_t$ 有序样本	2	89.975	{1~113} {114~166}	—
	3	33.721	{1~42} {43~113} {114~166}	1.85
	4	18.276	{1~42} {43~113} {114~139} {140~166}	1.23
	5	14.870	{1~42} {43~87} {88~113} {114~139} {140~166}	—

由表 4-13 可得，对于两种有序样本，β（3）均大于 β（4），故认为 $k=3$ 为最优分类数。另外，从表 4-13 还可得到两种有序样本的最优分类对应的编号，进而结合试验数据确定相应的 ASI 阈值。根据上述研究成果，并参照我国道路交通事故中的乘员伤害等级划分，给出了双车道公路路侧事故严重度的分级评价标准，如表 4-14 所示。

表 4-14　双车道公路路侧事故严重度的分级评价标准

严重度等级	ASI_c 阈值	ASI_t 阈值	乘员伤害等级
Ⅰ级	≤1	≤1	轻度受伤或未受伤
Ⅱ级	（1，1.43]	（1，1.56]	中度受伤
Ⅲ级	（1.43，1.98]	（1.56，2.17]	重度受伤
Ⅳ级	>1.98	>2.17	死亡

为了验证提出的路侧事故严重度分级评价标准的有效性，本章选取 50 起双车道公路典型路侧事故案例进行验证，其中小型客车路侧事故 39 起，载重货车路侧事故 11 起，如表 4-15 所示。首先，根据每起路侧事故案例的信息，结合表 4-11 的乘员伤害最优评估模型，计算每起路侧事故案例对应的 ASI。其次，对照表 4-14 确定路侧事故严重度等级。最后，通过驾驶人在路侧事故中的实际伤害等级来评估路侧事故严重度分级评价标准的效果。

表 4-15　案例验证

路侧事故编号	发生路侧事故时的速度/(km/h)	道路类型	圆曲线半径/m	路基高度/m	边坡坡度	路侧护栏	路侧事故车型	驾驶人伤害等级	ASI	严重度等级
1	108	直线	+∞	2	1:1	设置	小型客车	死亡	2.54	Ⅳ
2	66	直线	+∞	4	1:2	设置	小型客车	中度受伤	1.16	Ⅱ
3	70	直线	+∞	3.5	1:3.5	未设置	小型客车	重度受伤	1.36	Ⅱ
4	58	直线	+∞	5.8	1:4	未设置	小型客车	中度受伤	1.52	Ⅲ
5	117	直线	+∞	4.3	1:2.5	未设置	小型客车	死亡	1.99	Ⅳ
6	89	直线	+∞	0.9	1:4.5	未设置	小型客车	中度受伤	1.20	Ⅱ
7	72	直线	+∞	5.5	1:1	设置	小型客车	重度受伤	2.61	Ⅳ

路侧事故编号	发生路侧事故时的速度/(km/h)	道路类型	圆曲线半径/m	路基高度/m	边坡坡度	路侧护栏	路侧事故车型	驾驶人伤害等级	ASI	严重度等级
8	80	直线	+∞	7.8	1∶2.5	设置	小型客车	重度受伤	1.57	III
9	95	直线	+∞	3.8	1∶4.5	未设置	小型客车	重度受伤	1.63	III
10	88	直线	+∞	4.4	1∶3.5	未设置	小型客车	重度受伤	1.65	III
11	78	直线	+∞	6	1∶2	设置	载重货车	中度受伤	1.14	II
12	80	直线	+∞	3.6	1∶5.5	未设置	载重货车	中度受伤	1.37	II
13	67	直线	+∞	0.5	1∶5.5	未设置	载重货车	轻度受伤	0.92	I
14	54	直线	+∞	2.5	1∶3.5	未设置	载重货车	中度受伤	1.08	II
15	62	直线	+∞	3.8	1∶5.5	未设置	载重货车	中度受伤	1.29	II
16	57	曲线	880	2	1∶1	设置	小型客车	轻度受伤	0.90	I
17	89	曲线	1080	4	1∶2	设置	小型客车	重度受伤	1.23	II
18	94	曲线	1170	3.5	1∶3.5	未设置	小型客车	重度受伤	1.72	III
19	105	曲线	2460	5.8	1∶4	未设置	小型客车	死亡	1.99	IV
20	118	曲线	3400	6.5	1∶2.5	设置	小型客车	重度受伤	1.55	III
21	77	曲线	5100	6	1∶3	设置	小型客车	重度受伤	1.22	III
22	79	曲线	560	3.8	1∶3.5	未设置	小型客车	重度受伤	1.62	III
23	61	曲线	6310	4.7	1∶4	未设置	小型客车	中度受伤	1.43	II
24	55	曲线	520	4.9	1∶1.5	设置	小型客车	中度受伤	1.05	II
25	48	曲线	300	1.8	1∶3	未设置	小型客车	未受伤	0.89	I
26	73	曲线	750	2.5	1∶2.5	未设置	小型客车	重度受伤	1.45	III
27	74	曲线	890	3.4	1∶3.5	未设置	小型客车	重度受伤	1.52	III

续表

路侧事故编号	发生路侧事故时的速度/(km/h)	道路类型	圆曲线半径/m	路基高度/m	边坡坡度	路侧护栏	路侧事故车型	驾驶人伤害等级	ASI	严重度等级
28	84	曲线	950	2.3	1∶1	设置	小型客车	中度受伤	1.10	II
29	87	曲线	970	4.7	1∶2	设置	小型客车	中度受伤	1.26	II
30	91	曲线	1030	5.2	1∶2.5	设置	小型客车	中度受伤	1.31	II
31	101	曲线	1560	6	1∶2	设置	小型客车	中度受伤	1.42	II
32	109	曲线	2450	4.3	1∶1.5	未设置	小型客车	重度受伤	1.91	III
33	78	曲线	3330	3.7	1∶4	未设置	小型客车	重度受伤	1.54	III
34	44	曲线	240	1.8	1∶2.5	未设置	小型客车	未受伤	1.15	II
35	59	曲线	980	2	1∶4.5	未设置	小型客车	中度受伤	1.26	II
36	68	曲线	4560	3.3	1∶4	未设置	小型客车	中度受伤	1.41	II
37	70	曲线	720	1.9	1∶2.5	设置	小型客车	未受伤	0.99	I
38	55	曲线	1900	1.5	1∶4.5	未设置	小型客车	中度受伤	1.16	II
39	54	曲线	1110	0.6	1∶5.5	未设置	小型客车	中度受伤	1.10	II
40	50	曲线	4500	1	1∶1	未设置	小型客车	中度受伤	1.05	II
41	74	曲线	3780	0.4	1∶3.5	未设置	小型客车	中度受伤	1.25	II
42	77	曲线	670	1.8	1∶2.5	未设置	小型客车	重度受伤	1.44	III
43	78	曲线	510	4.9	1∶1.5	未设置	小型客车	重度受伤	1.69	III
44	83	曲线	840	5	1∶1.5	设置	小型客车	中度受伤	1.25	II
45	99	曲线	560	5.8	1∶2.5	设置	载重货车	重度受伤	1.89	III
46	72	曲线	770	3.2	1∶4	未设置	载重货车	死亡	2.26	IV
47	66	曲线	940	4.4	1∶3.5	未设置	载重货车	中度受伤	2.35	IV

路侧事故编号	发生路侧事故时的速度/(km/h)	道路类型	圆曲线半径/m	路基高度/m	边坡坡度	路侧护栏	路侧事故车型	驾驶人伤害等级	ASI	严重度等级
48	69	曲线	1090	6.7	1∶3	设置	载重货车	重度受伤	1.72	III
49	59	曲线	1870	3.9	1∶3.5	未设置	载重货车	中度受伤	1.56	II
50	83	曲线	3670	3	1∶1	设置	载重货车	中度受伤	1.31	II

由表 4-15 的评估结果可以看出,采用本节提出的路侧事故严重度分级评价标准计算得到 6 起事故对应的严重度等级与发生路侧事故时的驾驶人伤害等级不相符,分别为案例 3、4、7、17、34 和 47,误差率为 12%。其中,案例 3 和 17 的驾驶人伤害等级高于评价得到的路侧事故严重度等级,造成上述误差的原因为路侧事故路段两侧存在树木、乱石,车辆冲出路外后与之发生碰撞,导致驾驶人受到更严重的伤害。案例 4、7、34 和 47 的驾驶人伤害等级低于评价得到的路侧事故严重度等级,造成上述误差的原因为车速计算问题。由于这些案例中的路侧事故车速是通过视频监控图像计算得到的车辆事发前车速,而驾驶人在碰撞前采取了减速措施,车辆的实际碰撞速度低于事发前车速,从而减轻了驾驶人受到的伤害。综上所述,在避免车速计算问题的前提下,针对路侧无障碍物的路段,采用本节提出的评价标准进行双车道公路路侧事故严重度的评估具有较高的准确性和可信度。

此外,考虑到实际路段运营中不同车型混行的事实,本节将载重货车的比例 W 引入表 4-11 所列的最优模型表达式中,对 ASI 评价模型进行改进,如模型(4-13)和模型(4-14)所示。根据调整后的 ASI 评价模型,若已知某路段的载重货车比例,同样可以实现路侧事故严重度的综合评价。

1. 直线段

$$\begin{aligned} \text{ASI} &= (1-W)\text{ASI}_c + W\text{ASI}_t \\ &= (0.01v + 0.127H + 0.008\text{e}^{0.121\alpha} + 0.16)(1-0.24X)(1-W) \\ &\quad + (0.006v + 0.12h + 6.544\times10^{-9}\text{e}^{0.54\alpha} + 0.46)(1-0.31X)W \end{aligned} \quad (4\text{-}13)$$

2. 曲线段

$$\begin{aligned} \text{ASI} &= (1-W)\text{ASI}_c + W\text{ASI}_t \\ &= (0.01v + 0.076H + 0.029\text{e}^{0.087\alpha} + 0.763R^{-0.247} + 0.35)(1-0.28X)(1-W) \\ &\quad + (0.009v + 0.15H + 0.568\text{e}^{0.025\alpha} + 14.796R^{-0.013} - 13.01)(1-0.36X)W \end{aligned} \quad (4\text{-}14)$$

改进后的 ASI 阈值如表 4-16 所示。

表 4-16　改进后的 ASI 阈值

严重度等级	ASI 阈值
Ⅰ 级	$\leqslant 1$
Ⅱ 级	$(1, 1.43 + 0.13W]$
Ⅲ 级	$(1.43 + 0.13W, 1.98 + 0.19W]$
Ⅳ 级	$> 1.98 + 0.19W$

为了实现双车道公路路侧事故风险评价，基于路侧事故多发点判别和路侧事故严重度等级划分，给出了基于路侧事故发生概率和路侧事故严重度的双车道公路路侧事故风险评价表，如表 4-17 所示。

表 4-17　双车道公路路侧事故风险评价表

路侧事故发生概率/%	路侧事故严重度			
	Ⅰ 级	Ⅱ 级	Ⅲ 级	Ⅳ 级
25	低风险	低风险	中风险	中风险
50	低风险	低风险	中风险	中风险
75	中风险	中风险	高风险	高风险
100	中风险	中风险	高风险	高风险

构建的双车道公路路侧事故风险评价表可为交管部门进行道路施工设计、速度管理提供参考和指导。例如，根据路段的运行速度、圆曲线半径、路面附着系数、硬路肩宽度、路基高度、边坡坡度、载重货车比例及路侧护栏的设置情况，采用本节提出的双车道公路路侧事故风险评价方法评估双车道公路的路段风险，对于正在运营的双车道公路的高风险路段，进一步研究并提出避免车辆驶入路侧的最高车速限制方法，进而结合路段设计速度提出相应的限速措施。对于新建或改建的双车道公路的高风险路段，进一步给出保证路段处于低风险的路侧安全设置方法。由此，可从降低路侧事故发生率和路侧事故严重度两方面提出双车道公路路侧事故防控方法。

第5章 双车道公路附加车道设计方法

本章采用交通仿真对附加车道的长度进行研究，分析附加车道的长度与交通量、行车速度的关系，并建立附加车道的长度与行车速度、交通量的关系模型，根据以上建立的模型，给出不同设计速度下附加车道的长度推荐值。通过分析双车道公路慢速车辆的特征及慢速车辆对附加车道宽度的影响，分析驾驶员行车时的安全感受，采用问卷调查和资料查询数据，建立附加车道的宽度计算公式，并给出不同设计速度下附加车道的宽度推荐值。通过分析慢速车辆在爬坡过程中的运行及受力情况，分析车辆动力性能，在选取适当车型作为普遍车型的情况下，根据车型参数和汽车受力情况，对坡长进行限制，计算给出附加车道坡度的限值。

5.1 附加车道设置条件

5.1.1 设置附加车道的交通量条件

通过第3章可以得出交通量与超车冲突时间及设计速度的关系表达式为

$$Q = \frac{3129.313}{T_c + \frac{248.264}{v}} \tag{5-1}$$

基于式（5-1）可以得到设置附加车道的交通量条件，根据不同的冲突等级可以确定超车冲突时间 T_c 的值，当设计速度不同时，可以求得不同设计速度对应的交通量，如表 5-1 所示。

表 5-1 设置附加车道的交通量条件

冲突等级	设计速度/(km/h)			
	80	60	40	30
严重冲突	>344	>309	>256	>219
一般冲突	259～344	238～309	206～256	181～219
不冲突	<259	<238	<206	<181

表 5-1 展示了设置附加车道的交通量条件，当路段交通量达到一般冲突与严重冲突的界限时，可以考虑对该路段设置附加车道。

5.1.2　设置附加车道的道路条件

在有些情况下，达到交通量条件也可能不需要设置附加车道，而在另一些情况下，达到交通量条件但是不能设置附加车道，这就是道路条件的限制。本节将运用汽车理论的相关知识从双车道公路的横断面和纵断面两个方面进行分析。

1. 横断面条件

道路宽度是影响在双车道公路进行超车的主要限制因素，因为本侧道路宽度不够所以才需要借助对向车道进行超车。行车道的宽度应该能满足车辆行驶的要求，我国《公路工程技术标准》（JTG B01—2014）关于双车道公路行车道宽度的确定考虑了会车时两车厢间的安全间距和汽车后轮边缘距行车道边缘的安全距离，没有考虑超车时同向行驶的两车厢间的安全距离，所以双车道公路在标准横断面宽度下不能满足超车需求。如果可以超车，即应该满足两辆车能够并列行驶，本节将研究双车道公路可以利用同向车道超车的道路宽度，即研究当双车道公路的硬路肩宽度和土路肩宽度达到多少时，将不需要设置附加车道。

如图 5-1 所示，可以满足同向超车的单侧道路宽度最小为

$$B = \frac{1}{2}x + d + y + \frac{3}{2}a + \frac{1}{2}c \qquad (5\text{-}2)$$

式中，a 为车厢宽度，m；c 为汽车轮距，m；x 为反向行驶的两车厢间的安全距离，m；d 为同向行驶的两车厢间的安全距离，m；y 为汽车后轮边缘距行车道边缘的安全距离，m。

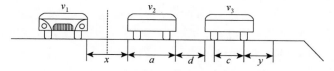

图 5-1　双车道公路同向超车的行车道宽度

我国《公路工程技术标准》（JTG B01—2014）规定设计的车辆最大宽度为 2.5m，但对汽车轮距没有做出明确规定。众所周知，一般来讲，汽车轮距小于车辆宽度，但与车辆宽度相差不大，从更安全的角度考虑，可以取汽车轮距等于车辆宽度，所以式（5-2）变形为

$$B \approx \frac{1}{2}x + d + y + 2a \qquad (5\text{-}3)$$

由以上分析及式（5-3）可以求得对应不同设计速度的双车道公路可以超车的道路宽度，减去相应的行车道宽度即可得到需要的路肩宽度，如表 5-2 所示。

表 5-2　路肩宽度要求

设计速度/(km/h)	道路宽度要求/m	设计的行车道宽度/m	路肩宽度要求/m
80	8.9	3.75	5.15
60	8.5	3.5	5.0
40	8.2	3.5	4.7
30	7.8	3.25	4.55

我国《公路路线设计规范》（JTG D20—2017）规定设计速度分别为 80km/h、60km/h、40km/h 和 30km/h 的双车道公路路肩宽度的一般值分别为 2.25m、1.5m、0.75m 和 0.5m（表 2-14）。所以，据表 5-2 可知，设计速度分别为 80km/h、60km/h、40km/h 和 30km/h 的双车道公路可以进行超车而不需要设置附加车道的单侧富裕道路宽度分别为 2.9m、3.5m、3.95m 和 4.05m，即当单侧富裕道路宽度达到上述值时，即使交通量条件达到要求，也不需要设置附加车道。

2. 纵断面条件

汽车在通过一些较大的侧坡或纵坡时，容易发生滑移或倾覆失效。虽然我国《公路工程技术标准》（JTG B01—2014）对各级公路的最大纵坡坡度做出了规定，但是如果在直坡路段设置了附加车道，慢速车辆需要进入附加车道行驶，在纵坡坡度较大的情况下车辆换道行驶的危险性更高，所以需要考虑此种情形下的行车安全，避免产生滑移或倾覆失效。

汽车在进行转向行驶时受到侧向惯性力的作用，容易发生横向失效，即侧翻和侧滑[136]。汽车行驶在下坡路段，当坡度较大时重力沿坡度方向的分力较大，此时如果不采取制动措施，汽车容易产生一定的加速度，导致汽车速度持续增大，严重影响汽车的行驶安全。当然，如果汽车采取制动措施，可以保证汽车匀速行驶或者以较小的加速度行驶，但当驾驶人在下坡路段行驶需要采取制动措施时，说明坡度已经很大，而且在采取了制动措施的情况下再进行转向换道行驶，无疑增加了驾驶人的紧张度和驾驶的不安全性。所以，在求解附加车道的安全下坡角度时，从偏安全的角度出发，假设汽车不采取制动措施，只在重力和阻力的合力作用下自然行驶。汽车在行驶过程中会受到各种阻力，包括空气阻力、道路阻力和汽车变速行驶的惯性阻力等[137]。在空气阻力、道路阻力、惯性阻力和重力的作用下，汽车的运动方程满足：

$$-0.6129 \times K \times A \times v^2 - Gf + Gi - \eta \frac{G}{g} a = \frac{G}{g} a \qquad (5\text{-}4)$$

式中，K 为空气阻力系数；A 为汽车迎风面积，m^2；v 为汽车行驶速度，m/s；G 为汽车重力，N；f 为滚动阻力系数；i 为道路坡度，上坡为正，下坡为负；η 为惯性阻力系数；g 为重力加速度，m/s^2；a 为汽车加速度，m/s^2。

　　由于空气阻力与其他阻力相比，其值很小，而且随着汽车行驶速度的变化其变化也不大，为了方便分析，忽略空气阻力不计。水泥及沥青混凝土路面的滚动阻力系数一般在 0.01～0.02，在此，从偏安全的角度取低值 0.01；惯性阻力系数 η 主要与飞轮和车轮的转动惯量及传动系的传动比有关，其值为 $\eta = 1 + \eta_1 + \eta_2 \times i^2$，$\eta_1$ 为汽车车轮的转动惯量，取 0.03～0.05；η_2 为飞轮的转动惯量，一般载重货车 $\eta_2 = 0.04～0.05$；i 为变速箱速比。惯性阻力系数的取值也从安全角度考虑，而下坡过程中汽车一般不需要动力，即 $\eta_2 = 0$，则 $\eta = 1 + \eta_1 = 1.03$。根据以上分析，可以得出汽车下坡过程中的加速度为

$$a = \frac{i - 0.01}{0.203} \qquad (5\text{-}5)$$

　　我国《公路工程技术标准》（JTG B01—2014）对各级公路的最小坡长做了规定，如表 5-3 所示，在最小坡长的情况下，当汽车行驶到坡底时，恰好可以达到最大横向稳定速度对应的坡度倾角值 θ_0，当坡度倾角值大于 θ_0 时，将不能再设置附加车道，θ_0 对应的坡度即最大坡度。

表 5-3　各级公路的最小坡长

设计速度/(km/h)	一般值/m	最小值/m
120	400	300
100	350	250
80	250	200
60	200	150
40	160	120
30	130	100
20	80	60

　　一般情况下，汽车在行驶到下坡路段之前会减慢速度，并希望以相对稳定的速度驶过下坡路段，汽车连续下坡行驶的速度一般希望在 30～40km/h，所以假定汽车下坡行驶的初始速度为设计速度的 40%，则汽车在下坡过程中的行驶速度为

$$v = 0.4v_0 + \frac{\tan \theta^{-0.01}}{0.203} t \qquad (5\text{-}6)$$

$$0.4v_0t + \frac{\tan\theta^{-0.01}}{0.203}t^2 = l_{\min} \qquad (5\text{-}7)$$

式中，θ 为坡度倾角，取正值；$l_{\min}$ 如表 5-3 所示。假设汽车在下坡过程中不加油、不制动，如果坡度太大显然不成立，所以汽车在下缓坡过程中的换道并不是紧急换道，把换道过程近似为行程很短的圆周运动，通过对其侧滑失效的分析可知：

$$0.042v^2 + 0.038v = 6\cos\theta - 0.52(\tan\theta - 0.01) \qquad (5\text{-}8)$$

联立式（5-6）～式（5-8）可以求得不同设计速度下可以设置附加车道的最大坡度，如表 5-4 所示。

表 5-4　设置附加车道的最大坡度

设计速度/(km/h)	最大坡度/%
80	2.1
60	2.5
40	2.9
30	3.1

5.2　附加车道设置间距

本节通过对净效益进行分析，研究对应不同交通量及地形条件的双车道公路附加车道合理的设置间距。设置间距是保证附加车道发挥作用的重要参数，不同的期望效益值也需要不同的设置间距。通过对不同效益值、交通量、不同地形和线形的目标与约束条件下的分析，可以给出不同要求下的设置间距值或范围，以便于设计使用。

5.2.1　双车道公路附加车道净效益计算

设置附加车道的双车道公路在设计年限内的净效益应为：交通安全改善效益＋交通运行效率提升效益–附加车道经济成本，其计算如式（5-9）所示。

$$
\begin{aligned}
E = {} & 618.321 \times \frac{(1+0.08)^N - 1}{0.08}(k_u \times P_{\mathrm{AADT}} + k_c P'_{\mathrm{AADT}}) \\
& + Q \times L \times \frac{(1+0.08)^N - 1}{0.08}\left[1.973\left(\frac{1}{V'_q} - \frac{1}{V'_h}\right) + 17.172\left(\frac{1}{V_q} - \frac{1}{V_h}\right)\right] \\
& - 2 \times A \times \left[B_1 \times (1+0.08)^N + B_2 \frac{(1+0.08)^N - 1}{0.08}\right] \times \frac{L}{L_j + L_f}
\end{aligned}
\qquad (5\text{-}9)
$$

式中，P_{AADT} 为普通路段超车事故，起/km；k_u 为普通路段超车事故率；P'_{AADT} 为村庄路段超车事故，起/km；k_c 为村庄路段超车事故率；Q 为双车道公路交通量，veh/h；L 为全路段长度，km；V'_q 为设置附加车道前货车的平均运行速度，km/h；V'_h 为设置附加车道后货车的平均运行速度，km/h；V_q 为设置附加车道前客车的平均运行速度，km/h；V_h 为设置附加车道后客车的平均运行速度，km/h；B_1 为双车道公路建成成本，万元/km；B_2 为附加车道养护成本，万元/km；L_j 为附加车道设置间距，km/个；L_f 为附加车道长度，km；A 为附加车道的面积，m^2；N 为设计使用年限，二级公路的设计使用年限为 15 年，三级公路的设计使用年限为 10 年。

5.2.2　附加车道设置间距计算模型

前面已经对附加车道的净效益函数与各参数取值进行了分析，根据附加车道净效益大于零的目标，可以得到附加车道设置间距 L_j 的计算模型见式（5-10）。式中，E 为净效益目标函数，因为设置附加车道后，其净效益要大于零才有意义，否则就没有必要再设置附加车道。

$$
L_j = \cfrac{\dfrac{(1+0.08)^N-1}{0.08}\left[1.973\left(\dfrac{1}{V'_q}-\dfrac{1}{V'_h}\right)+17.172\left(\dfrac{1}{V_q}-\dfrac{1}{V_h}\right)\right]}{2\times A\times\left[B_1\times(1+0.08)^N+B_2\dfrac{(1+0.08)^N-1}{i}\right]\times L}
$$
$$
+\cfrac{618.321\times\dfrac{(1+0.08)^N-1}{0.08}(k_u\times P_{AADT}+k_c P'_{AADT})-E}{2\times A\times\left[B_1\times(1+0.08)^N+B_2\dfrac{(1+0.08)^N-1}{i}\right]\times L}-L_f \qquad (5-10)
$$

通过分析式（5-10）可知，随着公路等级降低，双车道公路附加车道的设置间距逐渐减小；随着设计速度的减小，附加车道的设置间距逐渐增大。

5.3　附加车道几何设计指标

5.3.1　附加车道设置长度

附加车道长度由附加车道等宽段长度 L、附加车道分流渐变段长度 L_{j1} 和附加车道合流渐变段长度 L_{j2} 三部分组成，如图 5-2 所示。根据《公路路线设计规范》（JTG D20—2017）的规定,爬坡车道的分流渐变段和合流渐变段的长度分别为50m

和 90m。本节在此借鉴其取值，设定双车道公路附加车道的分流渐变段长度 L_{j1} 为50m，合流渐变段长度 L_{j2} 为90m。

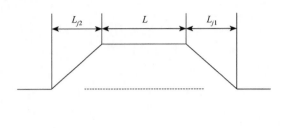

图5-2　双车道公路附加车道示意图

　　在车速一定的条件下，随着机动车交通量增加，需要驶入附加车道给快速车辆提供超车机会的车辆数量增加，需要设置的附加车道长度增加。所以，从定性角度分析，附加车道等宽段长度与机动车交通量呈正相关关系。而在机动车交通量一定的条件下，随着车辆行驶速度增加，超车过程中占用附加车道的时间将会减少，从而附加车道所需的长度也会降低，即附加车道长度与机动车行驶速度呈负相关关系。为了找出附加车道等宽段长度与交通量、机动车行驶速度之间的量化关系，采用 VISSIM 仿真技术获取数据。附加车道等宽段长度取值为150m、200m、250m、300m、350m、400m、450m和500m，机动车行驶速度取值为30km/h、40km/h、50km/h、60km/h、70km/h、80km/h和90km/h，交通量取值范围为0～1100pcu/h。慢速车辆在驶入附加车道和驶离附加车道的过程中，势必会产生一定的延误，处理仿真数据时以不同的附加车道长度、机动车行驶速度对应的延误最小为原则，运用插入法获得对应的交通量数据，如表 5-5 所示。

表 5-5　交通仿真数据

机动车行驶速度 /(km/h)	附加车道等宽段长度/m							
	150	200	250	300	350	400	450	500
30	43	97	236	361	489	646	774	896
40	52	124	257	394	526	673	793	923
50	67	152	281	427	561	695	825	945
60	79	182	325	458	593	724	857	979
70	85	206	339	466	629	763	883	998
80	84	237	361	515	635	782	914	1032
90	102	245	397	527	663	811	948	1044

对表 5-5 的数据进行回归分析，选取相关性最高的回归模型作为三者的关系模型，如式（5-11）所示。由式（5-11）可知，双车道公路附加车道等宽段长度与交通量呈正线性相关，与机动车行驶速度呈负线性相关。

$$L = 0.378Q - 0.951V + 185.61 \tag{5-11}$$

式中，L 为附加车道等宽段长度，m；Q 为双车道公路单向交通量，pcu/h；V 为机动车行驶速度，km/h。其中，$R^2 = 0.91$。

根据附加车道等宽段长度与交通量、机动车行驶速度的关系模型，选取设计速度作为机动车行驶速度，双车道公路的单向交通量根据《公路工程技术标准》（JTG B01—2014）中双车道公路的设计通行能力取值。同时，根据相关文献研究[138]，不同地形条件下的公路设计通行能力修正系数分别为平原区 1.0、丘陵区 0.9、山岭区 0.8。综上，计算得出附加车道等宽段长度的计算值，如表 5-6 所示。

表 5-6　附加车道等宽段长度的计算值

公路等级	设计速度/(km/h)	平原区/m	丘陵区/m	山岭区/m
二级公路	80	429	397	365
	60	362	339	315
三级公路	40	346	326	306
	30	327	310	293

根据表 5-6 的计算值，给出双车道公路附加车道等宽段长度的建议值如下：①设计速度为 80km/h 的二级公路，平原区建议取值为 429m，丘陵区为 397m，山岭区为 365m。②设计速度为 60km/h 的二级公路，平原区建议取值为 362m，丘陵区为 339m，山岭区为 315m。③设计速度为 40km/h 的三级公路，平原区建议取值为 346m，丘陵区为 326m，山岭区为 306m。④设计速度为 30km/h 的三级公路，平原区建议取值为 327m，丘陵区为 310m，山岭区为 293m。

5.3.2　附加车道设置宽度

设置附加车道的主要作用是让慢速车辆驶入附加车道内，给快速车辆提供更多的超车机会。公路上的慢速车辆主要由大、中型货车组成，所以本节主要研究大、中型货车对双车道公路附加车道宽度的影响。双车道公路的附加车道宽度根据式（5-12）计算：

$$B = a + c + y \tag{5-12}$$

式中，B 为附加车道宽度，m；a 为大、中型货车车厢宽度，m，根据《汽车、挂车及汽车列车外廓尺寸、轴荷及质量限值》（GB 1589—2016）标准，公路上行驶的大、中型货车车厢宽度为 2.5m；c 为附加车道内侧余宽，m；y 为附加车道外侧余宽，m。

根据相关文献研究[139]，附加车道外侧余宽可按式（5-13）计算：

$$y = 0.2 + 0.005v \qquad (5-13)$$

式中，v 为大、中型货车的行驶速度，m/s。

根据相关文献研究[140]，超车时两车之间的侧向距离分布在 0.9～1.8m，超车时两车间距的大小直接影响了驾驶人的紧张性、舒适性和驾驶的安全性。本书采用问卷调查的方法对不同超车车速条件下驾驶人选择的两车之间的侧向间距进行了分析，从而为计算附加车道宽度提供参考。本次问卷调查中，选取小型客车驾驶人 20 人、中型客车驾驶人 20 人作为调查样本，两车之间的侧向间距取值包括 1.0m、1.1m、1.2m、1.3m、1.4m、1.5m、1.6m、1.7m 和 1.8m，超车车速分别取为 80km/h、60km/h、40km/h 和 30km/h，问卷调查统计结果如表 5-7 所示。

表 5-7 问卷调查统计结果

侧向间距 /m	超车车速/(km/h)							
	80		60		40		30	
	人数	百分率/%	人数	百分率/%	人数	百分率/%	人数	百分率/%
1.0	0	0	0	0	4	8	8	16
1.1	1	2	3	6	6	12	12	24
1.2	2	4	5	10	16	32	14	28
1.3	3	6	9	18	11	22	11	22
1.4	8	16	15	30	5	10	3	6
1.5	15	30	8	16	4	8	2	4
1.6	12	24	5	10	3	6	0	0
1.7	6	12	3	6	1	2	0	0
1.8	3	6	2	4	0	0	0	0
合计	50	100	50	100	50	100	50	100

从表 5-7 可以看出，当超车车速为 80km/h 时，54% 的驾驶人选择侧向间距分布在 1.5～1.6m，平均侧向间距为 1.54m；当超车车速为 60km/h 时，46% 的驾驶人选择侧向间距分布在 1.4～1.5m，平均侧向间距为 1.43m；当超车车速为 40km/h 时，54% 的驾驶人选择侧向间距分布在 1.2～1.3m，平均侧向间距为 1.24m；当超车车速为 30km/h 时，68% 的驾驶人选择侧向间距分布在 1.0～1.2m，平均侧向间距为 1.12m。

根据相关文献研究[141]，对于没有横向干扰的双车道公路，其标准道路条件下轻型车自由流速度的取值为设计速度，在跟车条件下，慢速车辆比快速车辆的速度将平均减少 10～15km/h，其取值如表 5-8 所示，则根据式（5-12）与式（5-13），计算得到不同设计速度下的附加车道宽度值，如表 5-9 所示。因为二级公路右侧有硬路肩和土路肩，慢速车辆在行驶时可以占用部分路肩，侧向净空足够保证车辆的安全行驶，所以附加车道宽度可以适当减少一些，根据表 5-9，二级公路的附加车道宽度推荐值采用 3.5m。当三级公路的设计速度为 40km/h 时，附加车道宽度推荐值为 3.5m；设计速度为 30km/h 时，附加车道宽度推荐值为 3.25m。

表 5-8　不同等级双车道公路的车速取值

公路等级	客车速度/(km/h)	货车速度/(km/h)
二级公路	80	65
	60	45
三级公路	40	30
	30	20

表 5-9　附加车道宽度的计算值

公路等级	设计速度/(km/h)	a/m	c/m	y/m	B/m
二级公路	80	2.5	0.76	0.525	3.785
	60	2.5	0.70	0.425	3.625
三级公路	40	2.5	0.63	0.325	3.455
	30	2.5	0.51	0.275	3.285

5.3.3　附加车道纵坡度

根据不同地形条件的需要，附加车道有可能设置在坡度段上。而附加车道主要是供大、中型货车行驶的，在附加车道长度一定的条件下，由于货车的动力性能比小汽车差，其爬坡能力有一定限制。虽然在我国《公路工程技术标准》（JTG B01—2014）中已经对不同等级公路的坡度和坡长都有所规定，但在综合考虑慢速货车的爬坡能力条件下，需要对附加车道的最大上坡纵坡度进行研究。

汽车在上坡行驶时，由发动机产生的驱动力需用来克服空气阻力、滚动阻力、坡度阻力和惯性阻力，为了使汽车行驶，汽车的驱动力必须与汽车行驶时受到的各项阻力之和平衡。此外，在汽车的行驶道路的海拔不是海平面且车辆也不是满载的情况下，需要引入修正系数。在附加车道纵坡度较大的情况下，慢速车辆的车速将会由原来的 V_1 减少到 V_2，V_1 为慢速车辆的行驶速度，V_2 为上坡方向容许的最低速度，其取值如表 5-10 所示。

表 5-10　上坡方向容许的最低速度

设计速度/(km/h)	容许的最低速度/(km/h)	设计速度/(km/h)	容许的最低速度/(km/h)
80	50	40	25
60	40	30	15

　　附加车道纵坡度的限制主要考虑当车辆行驶在纵坡度为 i 的坡段时，在坡长限制（附加车道长度）条件下，其速度不能低于容许的最低速度 V_2，如果低于容许的最低速度 V_2，则表示纵坡度大于附加车道的最大纵坡度 i_{max}。根据汽车行驶时距离与速度的关系，可推算出汽车在上坡时行驶的距离，从而可以求出汽车爬坡坡长（附加车道长度），相关文献给出了其计算公式[142]。为了简化计算，本书忽略空气阻力与惯性阻力的影响，得到其计算公式如下：

$$S = \frac{1}{3.6^2}\int_{V_1}^{V_2}\frac{V}{a}\mathrm{d}V = \frac{1}{3.6^2}\int_{V_1}^{V_2}\frac{V}{\lambda g\left[f + i - \dfrac{(f+i)}{\lambda}\times\cos\alpha\right]}\mathrm{d}V \qquad (5\text{-}14)$$

式中，S 为附加车道长度，m；λ 为海拔荷载系数；f 为滚动阻力系数，水泥或沥青混凝土路面取 $0.01\sim0.02$；i 为附加车道纵坡度；α 为附加车道纵坡角。

　　根据附加车道长度的建议值和地形的关系，本书取平原区、丘陵区和山岭区的平均值简化计算。式（5-14）可用 MATLAB 来求解，得出在不同设计速度、不同坡长（附加车道长度）、不同海拔下的附加车道最大纵坡度 i_{max}，如表 5-11 所示。从表 5-11 可以看出，附加车道最大纵坡度随着海拔的增加而减少，给出的建议值如表 5-12 所示。

表 5-11　双车道公路附加车道最大纵坡度计算值

设计速度/(km/h)	坡道长度/m	海拔/m			
		$H=0$ $\lambda=0.9$	$H=1000$ $\lambda=0.797$	$H=2000$ $\lambda=0.704$	$H=3000$ $\lambda=0.62$
80	400	5.16	4.96	4.25	3.83
60	340	5.53	5.22	4.86	4.43
40	320	5.64	5.31	4.95	4.54
30	310	5.71	5.36	5.03	4.62

表 5-12　双车道公路附加车道最大纵坡度建议值

设计速度/(km/h)	坡道长度/m	海拔/m		
		$0\sim1000$	$1000\sim2000$	$2000\sim3000$
80	400	5.0	4.0	3.5
60	340	5.0	4.5	4.0

续表

设计速度/(km/h)	坡道长度/m	海拔/m		
		0~1000	1000~2000	2000~3000
40	320	5.0	5.0	4.5
30	310	5.0	5.0	5.5

　　双车道公路附加车道的最大纵坡度应根据设计速度、海拔选取。设计速度越大、海拔越高，允许的最大纵坡度越低。

第6章　双车道公路路侧净区与安全边坡设计方法

当失控车辆无法避免驶入路侧时，宽容的路侧净区可为冲出路外的车辆提供安全返回的空间。然而，由于土地资源匮乏，以及征地拆迁带来的社会稳定问题，路侧净区难以在所有地区有效设置，应结合不同等级公路的用地指标、建设成本、安全效益及不同地区的社会稳定风险等因素有针对性地设置路侧净区。而对于不具备路侧净区设置条件的路段，本章提出"路侧安全边坡设计"的理念，旨在保证驶入路侧的车辆能够安全停驶。鉴于此，本章基于双车道公路路侧事故风险评价研究，针对路侧事故高风险路段，开展路侧安全设计方法研究，包括路侧净区宽度计算、路侧净区设置条件及路侧安全边坡设计。

6.1　路侧净区宽度计算

本节通过分析影响路侧净区宽度设计的主要因素，包括硬路肩宽度、边坡坡度、制动反应时间、制动减速度、车辆驶出速度和驶出角度，利用 PC-Crash 软件进行模拟试验，通过记录每次车辆驶入路侧后的运动轨迹，标定车辆右前侧与行车道边缘的横向距离来确定路侧净区宽度。

6.1.1　影响因素分析

在车辆冲入路侧后，多数驾驶人会本能地采取紧急制动，故车辆行进过程可等效为运动学中的匀速行驶和匀减速行驶，而车辆从偏离车道减速至安全停驶所需的距离取决于多种因素，如硬路肩宽度、边坡坡度、制动反应时间、制动减速度、车辆驶出速度和驶出角度等。在开展仿真试验前，需对上述各个因素的取值进行讨论分析。

1. 硬路肩宽度和边坡坡度

路侧净区一般由硬路肩和缓和边坡组成，故路侧净区宽度通常由硬路肩宽度和边坡净区宽度组成。《公路项目安全性评价规范》（JTG B05—2015）认为当路堤边坡坡度陡于 1∶3.5 时，不能作为有效安全净区；填方边坡坡度在 1∶3.5～1∶5.5 时，1/2 宽的边坡可作为安全净区；填方边坡坡度为 1∶6 或更缓时，整个边坡均可作为安全净区。故本次仿真试验将边坡坡度为 1∶6 作为开展路侧净区宽度研究的试验条件。此外，硬路肩宽度按照《公路工程技术标准》（JTG B01—2014）中的相关规定进行取值。

2. 制动反应时间

制动反应时间包括驾驶人对危险进行判断决策、右脚对加速踏板和制动踏板的转换及车辆产生制动力所需的时间。通过对驾驶人的决策时间进行试验检测，文献[143]研究得出多数驾驶人的决策时间小于 0.5s，95%的驾驶人的决策时间小于 1.0s；在驾驶人确认危险后，右脚从加速踏板挪到制动踏板上的时间约为 0.2s，踩下制动踏板到车辆开始制动的时间约为 0.1s，故制动反应时间为 0.8~1.3s。

3. 制动减速度

驾驶人在面对突发状况时采用的制动减速度在很大程度上会受到路面附着系数的影响，路面附着系数主要取决于道路材质和路面状况。参考《道路交通事故车辆速度鉴定》（GB/T 33195—2016）的相关规定，硬路肩主要为沥青路面，路面附着系数可取 0.7；土路肩一般为沙土或土壤，路面附着系数可取 0.55；边坡坡面多数为植被覆盖，且含水量会影响土壤强度，使其路面附着系数发生变化，在干燥土壤条件下可取 0.55。

4. 车辆驶出速度和驶出角度

车辆驶出速度和驶出角度参照表 4-8 进行取值。

6.1.2　仿真试验

根据 6.1.1 节对相关影响因素的讨论分析，针对直线段，本节利用 PC-Crash 软件建立了行车道宽度为 3.75m，边坡坡度为 1∶6，硬路肩宽度为 3m 的双向两车道道路模型，路面附着系数设为 0.7，边坡坡面附着系数设为 0.55；针对曲线段，在上述道路模型的基础上，分别设置道路的圆曲线半径为 200m、300m、400m、500m 和 600m。同样选择"BMW-116d autom"和"ASCHERSLEBEN KAROSS"作为小型客车和载重货车的代表车型，车辆参数设置与表 4-1 保持一致，构建的试验场景如图 6-1 所示。

通过设置仿真运动序列模块，对车辆实施全制动，制动反应时间分别设为 0.8s 和 1.3s，驶出速度分别设为 50km/h、60km/h、70km/h、80km/h、90km/h、100km/h、110km/h 和 120km/h，驶出角度根据表 4-8 进行相应取值。

根据上述取值，可构建 2×8 = 16 种工况组合。为了确保仿真结果的准确性，在每种组合下，每个车型反复模拟 5 次，2 个车型共可进行 10 次模拟，最终取其结果的平均值。在每次仿真结束后，根据车辆的最终停驶位置，利用 PC-Crash 软件的测距工具，可测算此时车辆右前侧与道路边缘的横向距离，即所能保证的路侧边坡净区宽度，再结合具体路段的硬路肩宽度，可求出路侧净区宽度建议值，如图 6-2 所示。

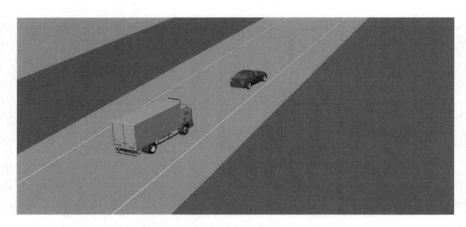

图 6-1　试验场景

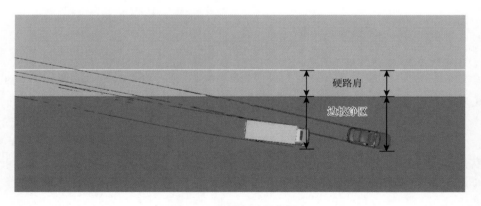

图 6-2　路侧净区宽度标定

6.1.3　路侧净区宽度建议值

在确定路侧净区宽度标准时，车辆的驶出速度不应以设计速度为标准，因此本节选取车辆的运行速度作为车辆驶离车道的速度。根据上述试验过程，直线段共开展 $2 \times 8 \times 10 = 160$ 次仿真试验，曲线段共开展 $2 \times 8 \times 10 \times 5 = 800$ 次仿真试验。

1. 直线段路侧净区宽度

通过计算不同工况下的试验结果平均值，针对直线段，表 6-1 给出了当硬路肩宽度为 3m 时的 8 种运行速度对应的路侧净区宽度建议值，表 6-1 中路侧净区宽度建议值的上、下限分别为制动反应时间为 0.8s 和 1.3s 对应的测量平均值。道路设计人员在进行路侧净区的设置时应首先考虑宽度上限，为了能够显著提高路侧安全水平；由于驾驶人最基本的制动反应时间为 0.8s，设置的路侧净区应至少满足宽度下限要求。

表 6-1　硬路肩宽度为 3m 时双车道公路直线段的路侧净区宽度建议值

运行速度/(km/h)	路侧净区宽度建议值/m
50	3.085（0.085）～3.098（0.098）
60	4.055（1.055）～4.168（1.168）
70	5.200（2.001）～5.260（2.260）
80	5.795（2.795）～6.052（3.052）
90	6.380（3.380）～6.507（3.507）
100	6.610（3.610）～7.201（4.201）
110	8.355（5.355）～9.420（6.420）
120	9.645（6.645）～11.532（8.532）

注：括号内为路侧边坡净区宽度（m），在进行路侧净区设计时，可根据不同的硬路肩宽度确定路侧净区宽度。

2. 曲线段路侧净区宽度

针对曲线段，根据收集的仿真数据，图 6-3 和图 6-4 分别给出了路侧边坡净区宽度与车速、圆曲线半径的关系。从图 6-3 可以看出，随着车速的增大，路侧边坡净区宽度逐渐增大，且增大的幅度越来越大，其取值由集中趋于分散，变化规律近似呈指数函数关系。从图 6-4 可以看出，随着圆曲线半径的增大，路侧边坡净区宽度逐渐减小，且减小的幅度越来越小，其取值由分散趋于集中，变化规律近似呈幂函数关系。

参照路侧边坡净区宽度与车速、圆曲线半径之间的关系，通过比较不同模型表达式的决定系数 R^2，利用 SPSS 软件分别拟合了曲线段路侧净区宽度 d 的下限值和上限值的计算模型，如模型（6-1）和模型（6-2）所示，其中，模型（6-1）的决定系数为 0.919，模型（6-2）的决定系数为 0.911。

下限值的计算模型（制动反应时间为 0.8s）为

$$d = 387.49 e^{\frac{-395.448}{v - 1.44}} + 5.027 \times 10^6 (1+R)^{-2.669} + w \qquad (6\text{-}1)$$

上限值的计算模型（制动反应时间为 1.3s）为

$$d = 284.711 \mathrm{e}^{\frac{-314.869}{v-11.273}} + 2.888 \times 10^{6}(1+R)^{-2.52} + w \qquad (6\text{-}2)$$

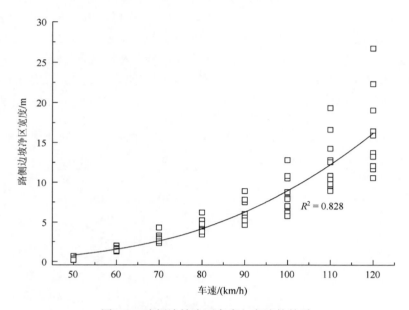

图 6-3　路侧边坡净区宽度与车速的关系

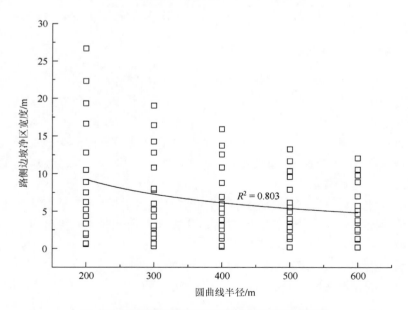

图 6-4　路侧边坡净区宽度与圆曲线半径的关系

6.2　路侧净区设置条件

6.2.1　总体思路

　　本节从双车道公路用地指标的限制（关系到路侧边坡净区用地范围 l）考虑，根据路段的路基高度 h、硬路肩宽度 w，结合研究得到的路侧净区宽度建议值 d，开展双车道公路路侧净区设置条件的研究，对于具备路侧净区设置条件的路段，考虑到设置的路侧净区应适用于不同车型，故根据第 4 章的研究成果和数据，将车型作为一种潜在变量（不作为模型的自变量），重新拟合适用于不同车型的路侧事故概率预测模型和路侧事故乘员伤害评估模型，构建由于设置路侧净区而产生的安全改善效益计算模型，随后从工程造价和征地费用两方面核算设置路侧净区产生的额外工程成本，若效益成本比＞1，则进一步评估设置路侧净区产生的社会稳定风险，若社会稳定风险＜0.36，建议设置路侧净区，反之则不建议设置路侧净区，双车道公路路侧净区设计思路如图 6-5 所示。

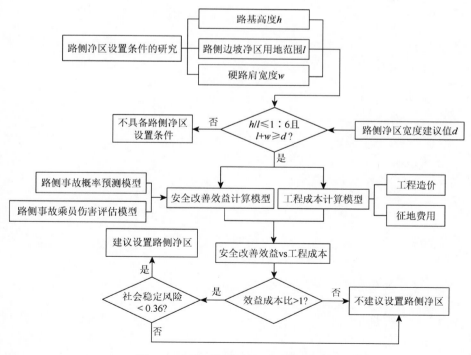

图 6-5　双车道公路路侧净区设计思路

由于我国目前土地资源匮乏和征地指标的限制，难以在所有地区设置路侧净区，在设置路侧净区之前，需要考虑路段两侧是否具备路侧净区设置条件。根据《公路项目安全性评价规范》（JTG B05—2015）的相关规定，当填方边坡坡度为 1∶6 或更缓时，整个边坡均可作为安全净区，故道路的路基高度 h 和路侧边坡净区用地范围 l 应满足如下关系：

$$h/l \leqslant 1{:}6 \approx 0.167 \qquad (6\text{-}3)$$

路侧边坡净区用地范围 l 依据公路用地来确定，公路用地范围 L 一般包括路基宽度 W_1（包含硬路肩宽度 w）、路侧边坡净区用地范围 l、护坡道 l_1、公路边沟宽度 l_2、沟外宽度 l_3，如图 6-6 所示。根据我国《公路工程项目建设用地指标》（建标〔2011〕124 号）和《公路路线设计规范》（JTG D20—2017）关于不同等级公路的路基宽度和用地范围的规定，可计算路侧边坡净区用地范围：

$$l=(L-W_1-l_1-l_2-l_3)/2 \qquad (6\text{-}4)$$

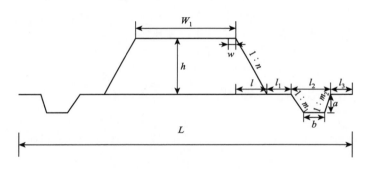

图 6-6 公路用地范围

在实际工程应用中，由于受到沿线构筑物或居民区等的影响，公路用地范围往往受到限制，难以完全按照规定执行，故实际公路用地范围应根据道路两侧的具体情况而定。此外，在满足上述边坡坡度的情况下，设置的路侧净区也应满足如下关系：

$$l+w \geqslant d \text{ 的下限值} \qquad (6\text{-}5)$$

即设置的路侧净区宽度应不小于 6.1 节研究得到的路侧净区宽度的下限值。

6.2.2 安全改善效益计算模型

虽然设置路侧净区能够带来可观的交通安全改善收益，但考虑到设置路侧净区会产生一定的工程造价和征地费用，故对于具备路侧净区设置条件的路段，应在衡量安全改善效益-工程成本的基础上，考虑是否应该设置路侧净区。若效益成本比>1，可进一步考虑设置路侧净区，反之则不建议设置路侧净区。此外，在进行路侧事故概率预测和乘员伤害风险评估时，本节对第 4 章不同车型的路侧事故数据统一进行整理分析，以求获得的研究成果对不同车型均具备适用性。

1. 路侧事故概率预测模型

为了方便构建安全改善效益计算模型，本节基于 4.1.3 节识别的显著性风险因素，利用二元 Logistic 回归分析重新拟合了涉及圆曲线半径、硬路肩宽度、路面附着系数和车速的路侧事故概率预测模型。

根据 4.1.2 节获取的仿真数据，将路侧事故是否发生作为因变量，将其划分为两个等级，取 $y=1$（发生路侧事故）、$y=2$（未发生路侧事故）；将车速、圆曲线半径、硬路肩宽度和路面附着系数作为自变量，运用 SPSS 软件进行二元 Logistic 回归分析，如表 6-2 所示。

表 6-2　参数估计值

参数	参数估计	标准差	卡方值	自由度	显著性
车速	0.127	0.003	1877	1	<0.01
圆曲线半径	−0.02	0.001	1749	1	<0.01
路面附着系数	−4.011	0.186	466	1	<0.01
硬路肩宽度	−1.515	0.073	434	1	<0.01
常数	−4.085	0.211	373	1	<0.01

由表 6-2 可以得到，车速、圆曲线半径、硬路肩宽度、路面附着系数这四个自变量与路侧事故是否发生显著相关，根据参数估计值可构建如下回归方程：

$$\ln\left(\frac{P_1}{P_2}\right) = -4.085 + 0.078v - 2.7 \times 10^{-4} R - 4.011\mu - 1.515w \qquad (6\text{-}6)$$

式中，P_1、P_2 分别为路侧事故发生、不发生的预测概率。

由此可以转化为路侧事故发生的累积 Logistic 概率预测模型：

$$P(y \leq 1) = \frac{\exp\left(-4.085 + 0.078v - 2.7 \times 10^{-4} R - 4.011\mu - 1.515w\right)}{1 + \exp\left(-4.085 + 0.078v - 2.7 \times 10^{-4} R - 4.011\mu - 1.515w\right)} \qquad (6\text{-}7)$$

由于模型（6-7）主要用于曲线段的路侧事故概率预测，为了实现直线段的路侧事故概率预测，根据《公路路线设计规范》（JTG D20—2017）的规定，即圆曲线半径不宜超过 10 000m，本研究认定当圆曲线半径取 10 000m 时，模型（6-7）可适用于直线段的路侧事故概率预测。

根据模型预测结果，利用 SPSS 软件绘制了受试者工作特征（receiver operating

characteristic，ROC）曲线，如图 6-7 所示。从图 6-7 可以看出，ROC 曲线非常靠近左上角，且 ROC 曲线下方的面积值（area under ROC curve，AUC）为 0.969＞0.9，说明在置信度为 95%的情况下，该路侧事故概率预测模型的拟合效果较好。

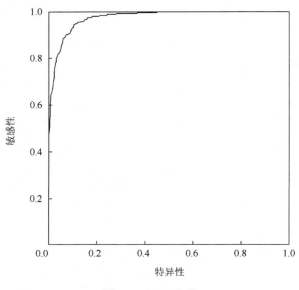

图 6-7　ROC 曲线

利用《公路项目安全性评价规范》（JTG B05—2015）中的公路运行速度计算模型，可以测算出每个路段单元的运行速度，运用上述路侧事故概率预测模型，综合考虑圆曲线半径、硬路肩宽度、路面附着系数等影响因素，能够确定每个路段单元可能造成的路侧事故概率。

2. 路侧事故严重度评估

本节基于 4.2.2 节仿真试验一中收集的 1200 组数据，考虑车辆驶出速度、圆曲线半径、边坡坡度和路基高度，利用多元回归分析重新拟合基于 ASI 的路侧事故乘员伤害评估模型，并利用 Fisher 最优分割法对事故严重度等级进行重新划分。

根据 4.2.2 节中探究的 ASI 与各个试验变量之间的变化规律，通过比较不同模型表达式的决定系数 R^2，重新拟合了直线段和曲线段的 ASI 乘员伤害评估最优模型，其表达式如下：

直线段为

$$ASI = 0.008v + 0.123h + 4.76 \times 10^{-5} e^{0.033\alpha} + 0.876 \qquad (6\text{-}8)$$

曲线段为

$$ASI = 0.01v + 0.127h + 0.306e^{0.0419\alpha} + 7.832R^{-0.165} - 2.392 \qquad (6\text{-}9)$$

其中，模型（6-8）的决定系数 $R^2 = 0.976$，模型（6-9）的决定系数 $R^2 = 0.963$。

这里同样使用 Fisher 最优分割法对路侧事故严重度进行等级划分，将 ASI≤1 的数据筛选出来单独列为一组，规定其风险等级为Ⅰ级，将剩余的 269 组数据按照 ASI 从小到大进行排序编号，生成 ASI 有序样本，记为 x_i（$i = 1, 2, \cdots, 269$）。根据 4.3.2 节所述的有序样本分割步骤，通过计算两种有序样本的类直径和最小误差函数，绘制了最小误差函数随分类数 k 的变化曲线，如图 6-8 所示。

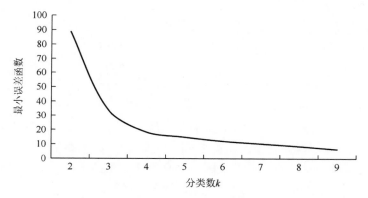

图 6-8　最小误差函数与分类数的关系

由图 6-8 可以看出，当 $k = 3$ 和 $k = 4$ 时，有序样本对应的最小误差函数曲线的曲率存在明显的变化。为了进一步确定最优分类数，下面分别计算了相邻分类数之间的最小误差函数比值 $\beta(k)$，如表 6-3 所示。

表 6-3　分类结果

样本类别	k	最小误差函数	分类情况	$\beta(k)$
ASI 有序样本	2	88.675	{1～156}{157～269}	—
	3	32.521	{1～89}{90～156}{157～269}	1.74
	4	18.671	{1～43}{44～89}{90～156}{157～269}	1.24
	5	15.013	{1～43}{44～89}{90～156}{157～202}{203～269}	—

由表 6-3 可得，$\beta(3)$ 大于 $\beta(4)$，故取 $k = 3$ 为最优分类数，由此根据有序样本的分类编号确定相应的 ASI 阈值。同样结合我国交通事故乘员伤害等级划分，给出了路侧事故严重度分级评价标准，如表 6-4 所示。

表 6-4　路侧事故严重度分级评价标准

严重度等级	ASI 阈值	乘员伤害等级
Ⅰ级	≤1	未受伤
Ⅱ级	(1，1.31]	一般受伤
Ⅲ级	(1.31，1.78]	重度受伤
Ⅳ级	>1.78	死亡

3. 安全改善效益计算

1）路侧事故发生量

根据本节第 1 部分构建的路侧事故概率预测模型，本节通过引入 AADT 构建了路侧事故发生量 A 的预测模型，如下：

$$A = \text{AADT}\left[\frac{\exp(-4.085 + 0.078v - 2.7 \times 10^{-4}R - 4.011\mu - 1.515w)}{1 + \exp(-4.085 + 0.078v - 2.7 \times 10^{-4}R - 4.011\mu - 1.515w)}\right] \quad (6\text{-}10)$$

2）设置路侧净区带来的每起路侧事故的乘员伤害减少量

由于设置路侧净区带来的乘员伤害减少量可通过路侧事故严重度等级量化计算，即未设置路侧净区情况下的路侧事故严重度等级–设置路侧净区情况下的路侧事故严重度等级。由于设置路侧净区能够有效避免路侧事故发生，本研究假定设置路侧净区不会造成路侧事故乘员伤亡，即严重度等级为Ⅰ级（表 6-4），那么由于设置路侧净区带来的每起路侧事故乘员伤害减少量可等效为未设置路侧净区情况下每起路侧事故的严重度等级。《公路项目安全性评价规范》（JTG B05—2015）认为当路堤边坡坡度陡于 1：3.5 时，不能作为有效安全净区，故本节将边坡坡度为 1：3.5 作为未设置路侧净区的基准指标。未设置路侧净区情况下每起路侧事故的严重度等级可根据 4.2.5 节构建的乘员伤害评估模型求得。

3）不同路侧事故严重度等级下的乘员伤亡折合经济损失

目前，我国统计的交通事故中对伤亡情况、医疗赔偿和财产损失情况的相关研究较少，因此本研究对律师、交警和保险从业人员采用问卷调查和电话问询的方式，共收集了 347 起不同路侧事故严重度的乘员伤亡折合经济损失，如表 6-5 所示。经统计分析，平均每起路侧事故一般受伤的经济损失约 5.6 万元，重度受伤的经济损失约 14 万元，死亡的经济损失约 41 万元。

表 6-5　乘员伤亡折合经济损失调查统计

乘员伤害等级	乘员伤亡折合经济损失/万元	路侧事故起数	比例/%
一般受伤	0～2	26	13.98
	2～4	18	9.68

续表

乘员伤害等级	乘员伤亡折合经济损失/万元	路侧事故起数	比例/%
一般受伤	4~6	54	29.03
	6~8	60	32.26
	8~10	21	11.29
	10 以上	7	3.76
合计	1049	186	100
重度受伤	0~4	0	0.00
	4~8	1	1.02
	8~12	37	37.76
	12~16	36	36.74
	16~20	12	12.24
	20 以上	12	12.24
合计	1372	98	100
死亡	0~12	0	0.00
	12~24	1	1.59
	24~36	20	31.75
	36~48	28	44.44
	48~60	10	15.87
	60 以上	4	6.35
合计	2594	63	100

根据以上分析，给出了设置路侧净区的安全改善效益计算模型为：AADT×路侧事故发生概率×不同路侧事故严重度等级下的乘员伤亡折合经济损失。

6.2.3　工程成本计算模型

本节通过建立土方工程造价和征地费用计算模型，得出公路有、无路侧净区情况下的工程成本，计算 2 种情况的经济成本差额，即得出设置路侧净区而产生的额外工程成本。

1. 土方工程造价

假设未设置路侧净区时的边坡坡度为 $1:n_1$，设置路侧净区时的边坡坡度为 $1:n_2$，如图 6-6 所示。那么，公路每公里路基土方量（设为 V）为

$$V = \frac{1}{2} \times 1000h\left[(W_1 + 2nh) + W_1\right] \qquad (6\text{-}11)$$

设置路侧净区而产生的每公里路基土方增长量为

$$\Delta V = V_2 - V_1 = 1000h^2(n_2 - n_1) \qquad (6\text{-}12)$$

设路基每立方米土方的平均工程造价为 C_0 元，则土方工程造价为

$$C = C_0 \Delta V = 1000 C_0 h^2 (n_2 - n_1) \qquad (6\text{-}13)$$

2. 征地费用

根据图 6-6 所示的公路用地范围，可计算每公里公路占地面积（设为 S）为

$$S = 1000\left[W_1 + 2nh + 2l_1 + 2(m_1 + m_2)a + 2b + 2l_3\right] \qquad (6\text{-}14)$$

设置路侧净区而产生的每公里公路占地面积增长量为

$$\Delta S = S_2 - S_1 = 2000h(n_2 - n_1) \qquad (6\text{-}15)$$

建设项目中的实际征地费用由耕地机会成本、新增资源消耗费用及转移支付组成。在国民经济评价中，耕地机会成本、新增资源消耗费用依据影子价格进行调整，而转移支付不计入征地费用，如式（6-16）所示。

$$F_0 = \text{OC} + Y = \text{NB}_0(1+\sigma)^{\delta+1}\left[\frac{1-(1+\sigma)^n(1+\kappa)^{-n}}{\kappa - \sigma}\right] + Y \qquad (6\text{-}16)$$

式中，F_0 为征地费用，万元/亩①；OC 为耕地机会成本，万元/亩；Y 为新增资源消耗费用，万元/亩；NB_0 为耕地施工基年的净收益，万元/亩；σ 为耕地产量递增率，%；δ 为基年距项目开工的年数，年；n 为经济评价期，年；κ 为社会折现率，%。

那么，设置路侧净区而产生的每公里公路征地费用为

$$F = 0.0015 F_0 \Delta S \qquad (6\text{-}17)$$

6.2.4　社会稳定风险

由于项目建设产生的征地拆迁、农民负担、环境影响、社会保障等问题容易激发社会矛盾，在项目建设之前，应对社会稳定风险开展评估工作。根据中华人民共和国国家发展和改革委员会印发的《重大固定资产投资项目社会稳定风险评估报告编制大纲及说明（试行）》（发改办投资〔2013〕428 号）相关规定，本节采用综合风险指数法对设置路侧净区而产生的社会稳定风险进行评估，具体步骤如下。

（1）通过对项目的可行性研究报告和设计资料的梳理分析，围绕项目建设实

---

① 1 亩 ≈ 666.667m²。

施的合法性、合理性、可行性和可控性，识别出设置路侧净区的主要风险因素。

（2）根据资料分析和问卷调查，采用风险概率-影响矩阵（probability-impact matrix，PIM）（图6-9）对每个风险因素的风险程度进行评估和预测。

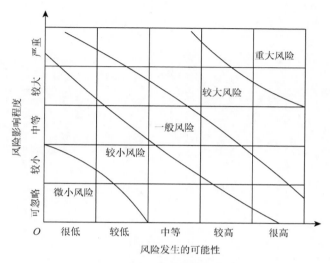

图 6-9　风险概率-影响矩阵

（3）参照相关公路建设项目的社会稳定风险评估细则和专家经验，确定各风险因素在本次项目建设中的权重。

（4）根据权重和风险程度进行加权计算，得到拟实施项目的综合风险指数。

（5）根据综合风险等级，确定是否应该实施项目。

风险概率-影响矩阵也称风险评价矩阵，矩阵以风险发生的可能性为横坐标，以风险发生后产生的影响程度为纵坐标，主要用于对具体的风险点进行分析，判定其风险程度。

6.3　路侧安全边坡设计

6.3.1　车辆侧翻致因分析

在 4.2 节收集仿真试验一数据的同时，本节记录了每次试验条件下的车辆运动状态，即车辆侧翻和未侧翻，如图 6-10（a）和图 6-10（b）所示。根据获得的试验数据，再次利用 CHAID 决策树的分类识别功能进行车辆侧翻致因分析。

CHAID 决策树的分析结果表明，决策树模型最终分类的准确率为 95.3%，分割后数据样本各个节点的 $p = 0.001 < 0.05$（显著性水平），表明决策树模型分类相当准确，没有过度拟合。所有数据样本通过不同的分支被划分为 14 个子节点，每个子节点提供了车辆在两种运动状态下的百分比，其中，试验数据根据边坡坡度因素进行分割，说明边坡坡度是影响车辆侧翻的最重要风险因素，如图 6-11 所示，图中的"No"表示没有发生侧翻，"Yes"表示发生侧翻。

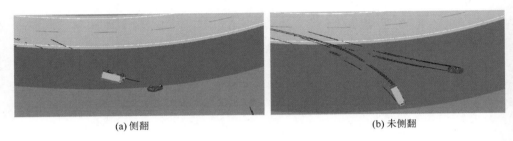

(a) 侧翻   (b) 未侧翻

图 6-10　车辆运动状态

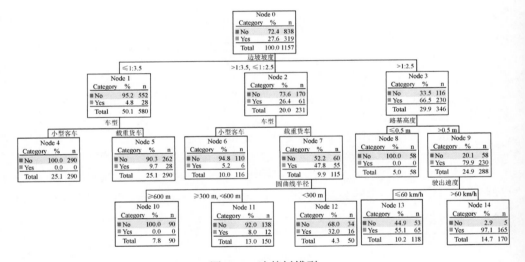

图 6-11　决策树模型

　　根据决策树模型生成的分类规则，对车辆驶入路侧后发生侧翻的致因机理进行分析，得到如下主要结论。

　　（1）由节点 4 可以看出，在边坡坡度≤1：3.5 时，小型客车均未侧翻。因此对于小型客车比例较大的路段，边坡坡度不应大于 1：3.5。

　　（2）由节点 4、5、6、7 得出，在相同试验环境下，在车辆驶入路侧后，载重货车比小型客车更容易侧翻，这与载重货车的重心较高有关。

（3）由节点 10、11 和 12 可得，当边坡坡度＞1∶3.5 且≤1∶2.5，圆曲线半径≥600m 时，载重货车均未侧翻。因此对于载重货车比例较大、边坡坡度陡于 1∶3.5 且缓于 1∶2.5 的路段，圆曲线半径不应小于 600m。

（4）由节点 8 和 9 可得，在边坡坡度＞1∶2.5 的情况下，当路基高度≤0.5m 时，所有车辆均未侧翻；当路基高度＞0.5m 时，车辆侧翻比例高达 79.9%，说明 0.5m 为相对安全的路基高度。

（5）由节点 13、14 可得，在边坡坡度＞1∶2.5，路基高度＞0.5m 的情况下，当驶出速度≤60km/h 时，车辆侧翻比例为 55.1%；当驶出速度＞60km/h 时，车辆侧翻比例高达 97.1%。因此对于高路基路段，驶出速度建议控制在 60km/h 以下。

6.3.2　安全边坡坡度计算

鉴于边坡坡度为影响车辆侧翻的最重要风险因素，故对于公路两侧用地受限、路基较高的路段，本节提出一种"安全边坡"的概念，即失控车辆无法驶回路面但能保证不侧翻的边坡。下面利用贝叶斯判别分析技术分别构建载重货车和小型客车对应不同运行速度、路基高度和圆曲线半径的安全边坡计算模型。

1. 贝叶斯判别分析

贝叶斯判别分析方法是建立在研究对象被分成若干类别或已知类别数目的基础上，从大量数据样本中总结出判别规则，建立准确、有效的判别函数，进而对未知所属类别的研究对象进行分类的过程。

设 $A_1, A_2, \cdots, A_m$ 为 m 个类别，其对应的概率密度函数为 $f_1(x), f_2(x), \cdots, f_m(x)$，假设这 m 个类别出现的先验概率为 $p_1, p_2, \cdots, p_m$。当对一个数据样本 x 进行分类判别时，利用贝叶斯概率公式可计算来自第 i 个类别的 x 的后验概率[144]：

$$P(i/x) = \frac{p_i(x)f(x)}{\sum_{i=1}^{m} p_i(x)f(x)}, \quad i = 1, 2, \cdots, m \qquad (6\text{-}18)$$

当 $P(i/x) = \max_{1 \leq i \leq m} P(u/x)$ 时，就可以将 x 判为第 u 个类别。由于各个类别的概率密度函数通常是未知的，一般假设数据样本服从多元正态分布，并假设各个类别的协方差矩阵相同，那么关于第 i 个类别的多元正态分布的概率密度函数为[145]

$$f_i(x) = \frac{1}{\left(2\pi|\Sigma_i|\right)^{1/2}} \exp\left[-\frac{1}{2}(x - \mu^{(i)})'\Sigma_i^{-1}\left(x - \mu^{(i)}\right)\right] \qquad (6\text{-}19)$$

式中，$\mu^{(i)}$ 为第 i 个类别的均值向量；Σ_i 为第 i 个类别的协方差矩阵。

贝叶斯判别分析的目的在于找到数据样本 x 的所属类别 i，使 $P(i/x)$ 最大。由式（6-18）可知，不同类别的 $P(i/x)$ 主要取决于分子部分，即 $P_i(x)f(x)$，而与分母部分无关，因此可改为求令 $P_i(x)f(x)$ 最大化的 i。将式（6-19）两边同乘以 $P_i(x)$，并对其取对数，去掉与 i 无关的项，化简后得到的等价判别函数为

$$E_i(x) = \ln p_i - \frac{1}{2}\left(x - \mu^{(i)}\right)' \Sigma^{-1}\left(x - \mu^{(i)}\right) \tag{6-20}$$

于是将判别问题转化为当 $E_i(x) = \max_{1 \leqslant i \leqslant m} P(u/x)$ 时，就可以将 x 判为第 u 个类别。

2. 车辆运动状态判别模型

本节研究的车辆运动状态主要包括发生侧翻和未发生侧翻两种状态，即
$$\begin{cases} i=1, & \text{车辆发生侧翻} \\ i=2, & \text{车辆未发生侧翻} \end{cases}$$

为了进一步探究不同车型对应的运动状态判别条件，本节针对载重货车和小型客车分别构建了车辆发生侧翻和未发生侧翻的判别函数。首先，将边坡坡度、路基高度、驶出速度和圆曲线半径作为自变量，车辆的最终状态作为分类变量，纳入贝叶斯判别分析中。其次，设定数据样本分属各类别的比例并作为先验概率，考虑到通过仿真试验获取的部分数据有可能存在不符合多元正态分布的情况，故采用逐步判别方法进行分析。最后，得到直线段和曲线段载重货车和小型客车的判别函数检验结果，如表 6-6 所示。

表 6-6　输入/删除指标

车型	道路类型	变量	λ of Wilks				
			λ	近似 F			
				统计量	Df_1	Df_2	Sig
载重货车	直线段	边坡坡度	0.566	61.782	1	79	0.000
		驶出速度	0.241	33.152	2	78	0.000
		路基高度	0.013	29.328	3	77	0.000
	曲线段	路基高度	0.570	374.179	1	497	0.000
		边坡坡度	0.351	303.038	2	496	0.000
		驶出速度	0.118	240.553	3	495	0.000
		圆曲线半径	0.072	192.915	4	494	0.000
小型客车	直线段	边坡坡度	0.562	60.776	1	78	0.000
		驶出速度	0.251	36.127	2	77	0.000
		路基高度	0.019	28.421	3	76	0.000

车型	道路类型	变量	λ of Wilks				
			λ	近似 F			
				统计量	Df_1	Df_2	Sig
	曲线段	边坡坡度	0.675	238.763	1	496	0.000
		驶出速度	0.431	189.493	2	495	0.000
		路基高度	0.206	145.357	3	494	0.000
		圆曲线半径	0.108	103.672	4	493	0.000

注：Df_1、Df_2 和 Sig 代表模型优度指标。

由表 6-6 可知，对于直线段和曲线段，载重货车和小型客车检验结果中 Wilks 的最终 Lambda 值依次为 0.013、0.072、0.019、0.108，且所有的 Sig 值均等于 0.000，具有统计学意义。说明无论对于小型客车还是载重货车，所有被纳入贝叶斯判别分析的风险指标对判别函数的结果均具有较高的显著性影响。因此，采用上述风险指标建立的判别函数具备较强的判别能力，由此构建的车辆运动状态判别函数如下。

（1）直线段载重货车发生侧翻：

$$E_{11}^{\text{truck}} = -13.973 + 0.131v + 0.533\alpha + 0.561h \tag{6-21}$$

（2）直线段载重货车未发生侧翻：

$$E_{21}^{\text{truck}} = -7.685 + 0.08v + 0.243\alpha + 0.085h \tag{6-22}$$

（3）曲线段载重货车发生侧翻：

$$E_{12}^{\text{truck}} = -20.383 + 0.153v + 0.521\alpha + 1.154h + 0.0013R \tag{6-23}$$

（4）曲线段载重货车未发生侧翻：

$$E_{22}^{\text{truck}} = -11.382 + 0.115v + 0.301\alpha + 0.349h + 0.0018R \tag{6-24}$$

（5）直线段小型客车发生侧翻：

$$E_{11}^{\text{car}} = -23.761 + 0.22v + 0.685\alpha + 0.81h \tag{6-25}$$

（6）直线段小型客车未发生侧翻：

$$E_{21}^{\text{car}} = -10.343 + 0.169v + 0.395\alpha + 0.335h \tag{6-26}$$

（7）曲线段小型客车发生侧翻：

$$E_{12}^{\text{car}} = -22.836 + 0.197v + 0.6\alpha + 0.7h + 0.0011R \tag{6-27}$$

（8）曲线段小型客车不发生侧翻：

$$E_{22}^{\text{car}} = -9.645 + 0.137v + 0.364\alpha + 0.294h + 0.0016R \tag{6-28}$$

式中，E 为不同车辆的运动状态对应的判别函数值；v 为驶出速度，km/h；α 为边坡坡度，°；h 为路基高度，m；R 为圆曲线半径，m。将一组风险指标代入上述判别函数中，若 $E_1 > E_2$，则判定为车辆发生侧翻；若 $E_1 < E_2$，则判定为车辆未发生侧翻。

3. 安全边坡计算模型

基于构建的车辆运动状态判别函数，认为当 $E_1 < E_2$ 时，车辆未发生侧翻，故在此基础上，分别令 $E_{11}^{truck} \leqslant E_{21}^{truck}$、$E_{12}^{truck} \leqslant E_{22}^{truck}$、$E_{11}^{car} \leqslant E_{21}^{car}$ 及 $E_{12}^{car} \leqslant E_{22}^{car}$，整理化简后，可得到对应不同运行速度、路基高度和圆曲线半径的安全边坡计算模型，分别如式（6-29）~式（6-32）所示。

（1）直线段载重货车：

$$\alpha_1^{truck} \leqslant 24.18 - 0.17v - 1.64h \tag{6-29}$$

（2）曲线段载重货车：

$$\alpha_2^{truck} \leqslant 40.91 - 0.17v - 3.66h + 0.0023R \tag{6-30}$$

（3）直线段小型客车：

$$\alpha_1^{car} \leqslant 46.27 - 0.18v - 1.64h \tag{6-31}$$

（4）曲线段小型客车：

$$\alpha_2^{car} \leqslant 55.89 - 0.25v - 1.72h + 0.0021R \tag{6-32}$$

式中，α 为对应不同车型和道路类型的最高安全边坡坡度临界值，°。

考虑到公路在实际运营中不同车型混行的事实，本节通过引入载重货车比例 W，进一步得到针对不同交通组成的双车道公路直线段和曲线段的安全边坡计算模型，如模型（6-33）和模型（6-34）所示。

（1）直线段安全边坡：

$$\alpha_1 \leqslant W 模型(6\text{-}29) + (1 - W) 模型(6\text{-}31) \tag{6-33}$$

（2）曲线段安全边坡：

$$\alpha_2 \leqslant W 模型(6\text{-}30) + (1 - W) 模型(6\text{-}32) \tag{6-34}$$

第7章 双车道公路路侧解体消能标志设计方法

本章在引入美国的路侧解体消能标志设计标准与方法的基础上，结合我国现行的道路交通工程标志设计指标及交通组成特点，针对适合我国的荷载组合，给出适合我国的双车道公路路侧解体消能标志设计指标与方法并应用有限元分析方法对路侧交通工程标志在受到撞击后的受力情况进行分析，通过模拟方法检验设计的解体消能标志的有效性。

7.1 路侧解体消能标志设计指标研究

我国对路侧解体消能标志的研究起步较晚，目前还处于不断探索与积累的阶段，研究成果还不是很完善，而美国等国家的研究开展较早，理论也较完善。我国与美国的公路范畴的指标规范、设计理论等差异较大，这就需要结合我国道路条件，考虑车辆、结构材料等因素，提出适合我国的解体消能标志设计指标。

7.1.1 路侧解体消能标志受力分析

交通标志是重要的交通设施，能够向驾驶者提供重要的交通信息，为了让驾驶人及时、准确地获得这些交通信息，交通标志通常设置在路侧范围内，于是就存在一种可能，即驶出车辆有可能与交通标志碰撞，此时交通标志就成为一种路侧障碍物。路侧解体消能标志能够削减路侧交通标志的刚度，当驶出行车道的车辆撞上路侧解体消能标志的杆柱时，随着杆柱发生解体、变形、断裂，失控车辆碰撞杆柱产生的动能将会减小，从而降低对车辆和乘员的伤害。

路侧解体消能标志在设计过程当中主要考虑两大功能，一个是保持日常使用的稳定性，另一个是保证发生碰撞事故时解体消能的可靠性。普通的交通标志在考虑结构计算的荷载时，只需要考虑维持其稳定性，即保证结构在各种荷载下都能够有好的稳定性。而路侧解体消能标志在考虑保证日常使用的稳定性的同时，也要考虑在受到驶出行车道的汽车碰撞时发生解体，即发生碰撞事故时解体消能的可靠性。

1. 日常使用中的受力分析

在日常使用中，交通标志受到的荷载包括永久荷载和可变荷载，结构自重和

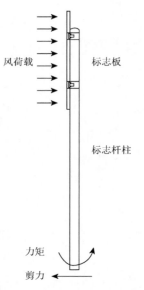

图 7-1　日常使用中的受力分析

附属物自重为永久荷载。一般通过确定交通标志杆柱和标志板的尺寸，根据应用材料的不同，利用其单位重量计算结构自重。

可变荷载包括风荷载和偶然荷载，在众多的影响因素中，对交通标志影响最大的就是风荷载，所在地区的最大风荷载对路侧解体消能标志日常使用的稳定性起决定性作用。交通标志在受到风荷载时，其受力情况如图 7-1 所示。

2. 发生碰撞时的受力分析

交通标志在被驶出行车道的车辆撞击的过程中，受力十分复杂，有重力、风荷载、车辆的碰撞力，在不同的荷载组合及不同的受力方向情况下，对路侧解体消能标志的杆柱的影响也是不同的，这就需要在计算杆柱受到车辆撞击的内力时，要系统地考虑可能的荷载组合，碰撞事故中的受力分析如图 7-2 所示。

7.1.2　路侧解体消能标志设计指标

他山之石，可以攻玉。要研究适合我国的路侧解体消能标志设计指标，需要借鉴其他国家的经验和标准。目前，国际上在此方面的研究中，美国的研究成果更加突出。美国的学者和道路工作者进行了大量的实车足尺碰撞验证试验，同时把路侧解体消能标志应用到公路上去，积累了大量经验。

1993 年，美国提出了"NCHRP 350"报告，即《美国公路设施安全性评价标准》，将其作为判断路侧设施构造物解体消能设计的标准，并据此制定了关于路侧解体消能标志等构造物的试验测试标准和评价标准[146]。

由于机动车车身自重不断增大、轻型载货汽车保险杠位置提高等，原来的"NCHRP 350"报告标准逐渐不适用。于是，美国的 *Manual for Assessing*

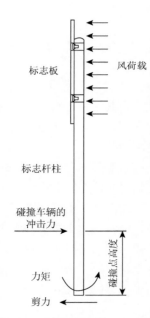

图 7-2　碰撞事故中的受力分析

Safety Hardware（MASH）对"NCHRP 350"报告进行了更新和完善。两个报告内容的具体对比如表 7-1 所示[147]，虽然 MASH 对"NCHRP 350"报告进行了升级，但目前美国按照"NCHRP 350"报告设计的标志仍能够继续使用。

要研究适合我国路侧解体消能标志的设计指标，还需要对我国的交通特性、车辆结构特性进行分析，通过确定典型的车型和车身重量等因素，制定适合我国的路侧解体消能标志设计指标。

表 7-1　美国汽车碰撞试验标准

内容	NCHRP 350	MASH
小型客车试验车	820C 车型[1800lbs（1lbs = 0.45359kg）]	1100C 车型（2420lbs）
小型客车碰撞角度	20°	25°
小型货车试验车	2000P 车型（4400lbs）	2270P 车型（5000lbs）
碰撞起点和碰撞缓冲作用角度	15°	5°
可变信息标志和箭头标志拖车	未提	添加到碰撞试验
标志杆结构和作业区控制设施试验	小型客车	小型客车、小型货车
挡风玻璃损伤标准	主观/定性	客观/定量
碰撞缓冲试验	不要求	要求

1. 防护车型

由表 7-1 可见，美国的规范要求当质量为 1800lbs 的车辆，分别以 35km/h 和 100km/h 的速度撞击路侧解体消能标志的杆柱时，在杆柱发生折断的同时，应保证碰撞车辆的速度降低值不会过大。虽然现在推出的 MASH 的车身重量为 2420lbs，但现行标准仍为小型车[148]。

我国交通的一个特点就是交通组成非常复杂，车辆的车型也很多，但我国国道、省道上的车流量主要以小型客车为主，其数量超过了微型车和中型客、货车等车型。

《道路通行能力分析》对高速公路上的交通量进行了大量的数据观测，发现大型车在行车道上的比例为 13%，中型车在行车道上的比例为 10%左右，而超车道上的小型客车比例为 80%左右，行车道上的小型客车比例也高达 60%，大型集装箱货车和微型车的比例更低，仅为 3%和 6%左右。

《公路交通安全设施设计细则》（JTG/T D81—2017）对公路上各种车型的占有率的调查表明，小型车（2.5t 以下）的占有率为 57.8%，中型车（2.5t 以上、10t 以下）的占有率为 30.5%，大型车（10t 以上）的占有率为 11.7%，其中大型客车（14～18t）的占有率为 4.5%，如图 7-3 所示。

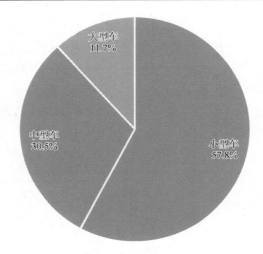

图 7-3　公路车型比例

随着我国公路网建设的加快、机动车保有量的快速增长及汽车产业政策的不断调整，小型客车的比例将会越来越大。因此，选择小型客车作为路侧解体消能标志的标准车型，符合我国现状，也符合未来公路交通的发展趋势。

2. 车身重量

国内外专门针对路侧解体消能标志的碰撞试验较少，但是对路侧护栏碰撞试验的研究较为成熟，应用也很广泛。鉴于驶出行车道的车辆与路侧解体消能标志、路侧护栏碰撞形态的相似性，本章借鉴路侧护栏碰撞试验的相关标准。

欧洲联盟路侧护栏碰撞试验等级分为 TB11、TB21、TB31 等 8 个等级，包括碰撞速度、车辆质量和碰撞能量，见表 7-2。

表 7-2　欧洲联盟路侧护栏碰撞条件

试验等级	碰撞速度/(km/h)	车辆质量/t	碰撞能量/kJ
TB11	100	0.9	40.6
TB21	80	1.3	6.21
TB31	80	1.5	43.32
TB41	70	10	36.6
TB51	70	13	287.48
TB61	80	16	462.13
TB71	65	30	572.0
TB81	65	38	724.57

日本的路侧护栏碰撞试验等级分为 C、B、A、SC、SB、SA、SS 7 个等级，具体的碰撞条件见表 7-3。

表 7-3　日本路侧护栏碰撞条件

试验等级	碰撞速度/(km/h)	车辆质量/t	碰撞能量/kJ
C	26 以上		45 以上
B	30 以上		60 以上
A	45 以上		130 以上
SC	50 以上	2.5	160 以上
SB	65 以上		280 以上
SA	80 以上		420 以上
SS	100 以上		650 以上

《美国公路设施安全性评价标准》将路侧护栏碰撞试验等级分为了 6 个等级，每个等级包括不同的车型，见表 7-4。

表 7-4　美国路侧护栏碰撞条件

试验等级	车型	车辆质量/kg	碰撞速度/(km/h)	碰撞能量/kJ
	700C	775±25	50	8.7
1	820C	895±25	50	10.1
	2000P	2000±45	50	34.5
	700C	775±25	70	17.1
2	820C	895±25	70	19.8
	2000P	2000±45	70	67.5
	700C	775±25	100	35
3	820C	895±25	100	40.4
	2000P	2000±45	100	137.8
	700C	775±25	100	35
4	820C	895±25	100	40.4
	2000P	2000±45	100	137.8
	8000S	8000±200	80	132.3
	700C	775±25	100	35
5	820C	895±25	100	40.4
	2000P	2000±45	100	137.8
	36000V	36000±500	80	595.4

试验等级	车型	车辆质量/kg	碰撞速度/(km/h)	碰撞能量/kJ
6	700C	775±25	100	35
	820C	895±25	100	40.4
	2000P	2000±45	100	137.8
	36000T	36000±500	80	595.4

通过本节的分析，"NCHRP 350"报告提出的年代较早，近年来由于机动车的质量增大等，美国的 MASH 将碰撞条件中的 820C 车型替换为 1100C 车型，更加符合现在的实际情况。

我国的路侧护栏碰撞试验等级分为 B、A、SB、SA、SS 5 个等级，碰撞条件包括碰撞速度、车辆质量和碰撞能量，如表 7-5 所示。

表 7-5 我国护栏碰撞条件

试验等级	碰撞速度/(km/h)	车辆质量/t	碰撞能量/kJ
B	100	1.5	—
	40	10	70
A	100	1.5	—
	60	10	160
SB	100	1.5	—
	80	10	280
SA	100	1.5	—
	80	14	400
SS	100	1.5	—
	80	18	520

综合分析美国、日本、欧洲联盟路侧护栏碰撞试验中选取的车辆质量，并参考我国路侧护栏碰撞条件，本研究将路侧解体消能标志设计指标的标准车身重量定为 1.5t。

3. 碰撞速度和速度变化值

在进行路侧解体消能标志的结构设计时，路侧解体消能标志所能承受的撞击力大小通常取决于车辆与路侧解体消能标志发生碰撞前、后的速度变化值。根据美国多年的试验研究，在车辆以 30~100km/h 的速度驶出行车道碰撞路侧解体消能标志后，车速降低，当其降低值为 11～18km/h 时，乘员受到的伤害不会很严重。因此，美国的规范标准把 11～18km/h 的车辆速度变化值确定为安全阈值，便能够保障碰撞车辆内的乘员安全。

我国的《公路路线设计规范》（JTG D20—2017）规定了双车道公路的设计速度，如表 7-6 所示。

表 7-6 双车道公路的设计速度

公路等级	设计速度/(km/h)
二级公路	80
	60
三级公路	40
	30

当进行碰撞试验时，如果选取的碰撞速度过大，会使路侧解体消能标志设计的稳定性增大，当实际碰撞速度小于该值时，驶出行车道的车辆碰撞路侧解体消能标志并不能使其解体，起不到保护乘员的作用。相反，如果选取的碰撞速度过小，当车辆以较小速度碰撞路侧解体消能标志时，产生的减速度也不大，不会危害乘员的安全；但是，当风荷载较大时，路侧解体消能标志不能保证日常使用的稳定性。考虑到车辆在公路上的实际运行速度比设计速度小 20km/h 左右，同时结合国内外碰撞试验选取的碰撞速度，本节选取一个比较适中的碰撞速度即 40km/h。

单位时间内的速度变化值即车辆减速度，减速度过大将危害车内乘员的安全。一般航天员的身体素质较好，能承受 $10g$ 多的超重，战斗机飞行员经过大量训练，也能承受 $3g$～$5g$ 的超重。普通人的承受力较航天员和飞行员都差，而在乘员当中，普通人占绝大多数，因此路侧解体消能标志的设计指标要以保护普通人为标准，本研究选取 $2g$ 作为碰撞试验过程中的车辆减速度。

根据动力学方程的牛顿第二运动定律，将 $F=ma$ 变形得到 $a=\dfrac{F}{m}$，代入 $v=v_0+ma$，得到动量定理 $Ft=mv-mv_0=m\Delta v$。当车辆碰撞路侧解体消能标志时，通过上述动量定理，普通乘员能够承受的减速度为 $2g$，则 $mv=2mgt$。碰撞时间很短，取碰撞时间 t 为 0.1s，计算得到速度变化值为 2m/s。由此确定适合我国的解体消能标志设计指标的速度变化值为 2m/s。

4. 碰撞点高度

路侧解体消能标志的作用原理是当车辆与之发生碰撞时，在碰撞点受剪力的作用，路侧解体消能标志的杆柱产生位移，进而杆柱发生解体，路侧解体消能标志的杆柱对车辆和乘员的作用力就减小了。如果碰撞点过高，路侧解体消能标志的杆柱会发生弯曲变形，导致路侧解体消能标志不能发挥作用。正面碰撞事故中，通常碰撞点的位置在车辆保险杠处，所以美国的规范要求在设计路侧解体消能标志的杆柱时，控制剪力作用的碰撞点位于地面之上 0.5m 处，即小型客车保险杠的位置处。考虑到本节设计指标选取的标准车型为小型客车，所以将适合我国设计指标的碰撞点位置定于地面之上 0.5m 处，即小型客车保险杠的位置处。

5. 解体后的底座高度

小型车辆的底座高度一般为 0.1m，当路侧解体消能标志解体后，其底座顶部距地面的高度大于 0.1m 时，可能与碰撞车辆的底盘发生刮蹭，因此美国的规范规定路侧解体消能标志的底座不应高于 0.1m。

底盘由传动系、行驶系、转向系和制动系四部分组成。车辆底盘低，开起来稳；车辆底盘高，通过性好，不容易磕底。车企通常根据生产车辆所在地的地势进行车辆底盘的调整，一般小型客车的底盘高度为 0.1~0.12m，运动型多用途汽车（sport utility vehicle，SUV）的底盘高度为 0.16~0.2m，越野车的底盘高度较高，在 0.18m 以上，我国一些汽车品牌的底盘高度数据如表 7-7 所示。

表 7-7　我国汽车的底盘高度

品牌	底盘高度/mm
Polo	100
宝来	110
高尔夫	115
奥迪 A4	106
帕萨特	105
威驰	163
花冠	170
锐志	170
凯美瑞	170
皇冠	150

通过比较分析，小型客车的底盘高度均大于 0.1m。在路侧解体消能标志与车辆碰撞解体后，为了避免杆柱底座刮蹭汽车底盘，其底座顶部距离地面的高度应该小于 0.1m，因此路侧解体消能标志设计指标的底座高度应不高于 0.1m，如图 7-4 所示。

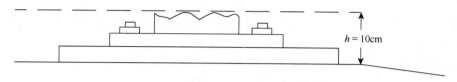

图 7-4　路侧解体消能标志的底座高度

当路侧解体消能标志设置在护坡上时，解体后的底座高度 L 可以稍微大一些，由图 7-5 可以得出底座高度 L：

$$L = h / \cos\alpha + B \sin\alpha \qquad (7\text{-}1)$$

式中，L 为路侧解体消能标志的底座高度，m；α 为护坡的角度，°；B 为路侧解体消能标志的杆柱到基础边缘的距离，m。

图 7-5　路侧解体消能标志底座在护坡上的高度

根据式（7-1）可计算当护坡坡度为 1∶4，B 为 0.10m 时，$L = 12.73$cm；当护坡坡度为 1∶5，B 为 0.10m 时，$L = 12.16$cm；当护坡坡度为 1∶6，B 为 0.10m 时，$L = 11.78$cm。

7.2　路侧解体消能标志设计标准研究

交通标志的种类很多，设计结构也可能多种多样，如何能够较为全面地进行结构设计，需要有明确的设计思路。根据 7.1 节研究的路侧解体消能标志设计指标，下面将进行路侧解体消能标志的设计标准研究。

7.2.1　路侧解体消能标志设计思路

路侧解体消能标志与一般交通标志的区别在于路侧解体消能标志的杆柱设置了结构薄弱面。单柱式交通标志可以只在底部设计一个结构薄弱面；双柱式及三根立柱的交通标志要设计两个结构薄弱面，一个结构薄弱面在下部，一个在标志板的下方。当路侧解体消能标志受到驶出行车道的车辆的撞击时，其下部的结构薄弱面在碰撞力的作用下产生变形破坏，位于上部标志板下方的铰接钢片受到弯矩的作用，标志板下方的结构薄弱面被破坏以后，杆柱下端能够沿着标志板下方的铰链端摆动，使事故车辆从标志的下部穿过，碰撞前、后的速度变化值不会太大，可以起到减轻碰撞伤害的作用[32]。

除了结构薄弱面的设计，路侧解体消能标志的杆柱也与普通的交通标志杆柱有所区别，主要体现在杆柱的长度、重量等方面。

本节研究的主要内容为杆柱设计和两个结构薄弱面的设计、计算分析，交通标志设计的其他部分如标志板设计、标志板与杆柱的连接方式、交通标志的基础设计等，都参照我国现行的相关规范。

7.2.2 路侧解体消能标志的杆柱与底座的连接设计

工程应用中常把材料大致分为塑性材料和脆性材料两类，分类依据是常温和静载下的拉压试验的延伸率，延伸率导致这两类材料在力学性能方面有显著差异。在力的作用下，物体形变的大小与质量没有关联，而是由材料特性和结构决定的。结合脆性材料和塑性材料不同的力学性能，分别将其应用到路侧解体消能标志杆柱与底座之间的连接方式的设计中，可产生三种类型的连接方式：塑性连接、脆性连接、刚性连接。

1. 塑性连接

塑性材料在外力作用下，虽然产生较显著的变形但不会被破坏。当塑性材料在拉伸荷载下的应力达到屈服极限 a_s 时，就会产生塑性变形，塑性材料在受力达到屈服极限的变形过程中，产生塑性变形，最后结果是结构破坏，如图 7-6 所示。

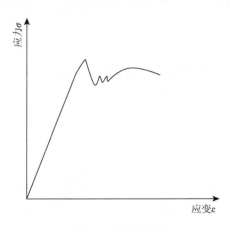

图 7-6 塑性材料

　　路侧解体消能标志的杆柱与底座间的塑性连接方式采用塑性材料。

　　路侧解体消能标志的杆柱主要由 U 型槽钢、薄壁铝管、多孔方形钢管、薄壁玻璃纤维管构成。塑性连接的杆柱受杆柱埋深、杆柱刚性、杆柱长度、土壤抵抗力等因素的影响。

　　与普通交通标志相比，采用多孔方形钢管的路侧解体消能标志的杆柱不仅在感观上令人耳目一新，还能够节约钢材和塑性屈服解体吸能。该结构安装方便快捷，用人力或工具均可快速安装、投入使用。此外，该结构设计合理，杆柱上分布多孔、抗弯性能好、抗剪力弱。路侧解体消能标志的杆柱在与车辆碰撞后可屈服解体吸能，减轻杆柱对车体和车内乘员的伤害，同时能节约 50% 以上的钢材，一杆多用，可拆装多个标志牌。

　　2. 脆性连接

　　脆性材料在外力作用下，产生很小的变形就会破坏断裂，构件在被拉伸时，若应力超过强度极限，就会发生脆性断裂，如图 7-7 所示。通常断口平面垂直于应力轴，表面平齐，断口边缘没有剪切"唇口"，断口沿结晶解理面发生，颜色比较光亮，断口具有光泽的晶粒特征。

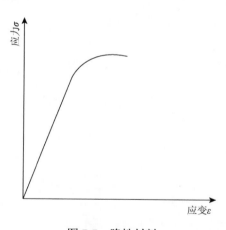

图 7-7　脆性材料

　　路侧解体消能标志的杆柱与底座间的脆性连接方式采用脆性材料。

　　脆性连接方式是用木栓、钢栓或铝制品等设置独立的固定连接器，通过独立的固定连接器构件将底座和杆柱固定连接。在日常使用过程中，固定连接器起到连接作用，发挥路侧解体消能标志的交通功能；当驶出行车道的车辆撞击路侧解体消能标志时，固定连接器发生断裂，杆柱实现解体，起到保护车内乘员的作用。

固定连接器通过如下设计，可实现解体消能、保护乘员等功能。

（1）固定连接器的材料选择常见的易断裂塑性材料，如木栓、铝制品或型号为 KTH300-06、极限应力强度为 300MPa 的黑心可锻铸铁等。

（2）通过把固定连接器的截面形式设计为显著变化的形式，可实现碰撞过程中解体消能的作用，如图 7-8 所示。

（3）通过在固定连接器上设置孔洞，使固定连接器成为碰撞过程中的受力薄弱面，起到解体消能的作用。

图 7-8　脆性连接方式

上述三种设计方式，使路侧解体消能标志无论受到哪个方向的车辆撞击，都能解体消能，保护车内乘员。

3. 刚性连接

刚性连接方式是将两个平行的钢板重叠，用螺栓连接固定钢板。当驶出行车道的车辆碰撞路侧解体消能标志时，连接固定两个平行钢板的螺栓因受到外力被拔出，钢板分离，达到解体消能的目的。刚性连接方式既可以设计为单向解体的类型，也可以设计为多向解体的类型。

单向解体类型的刚性连接方式分为水平钢板和倾斜钢板两种类型，其中倾斜钢板单向解体的刚性连接方式的典型设计如图 7-9 所示。两个钢板水平方向的夹角为 10°～20°，利用 4 个螺栓连接固定，钢板倾斜 10°～20° 是为了确保车辆在通过时，路侧解体消能标志的解体部分不会砸到挡风玻璃或车顶。

多向解体类型的刚性连接方式的两个钢板被设计成三角形，由三个螺栓连接固定，在受到不同方向的车辆撞击时都能解体，保护车内乘员，如图 7-10 所示。

多向解体类型的刚性连接方式的路侧解体消能标志适合设置在容易受到多方向撞击的地点，如公路中央分隔带、路口的渠化岛、丁字形交叉口、匝道末端等。

图 7-9　倾斜钢板单向解体的刚性连接方式

图 7-10　多向解体类型的刚性连接方式

7.2.3　路侧解体消能标志杆柱设计

路侧解体消能标志杆柱与普通交通标志杆柱的区别主要体现在杆柱的长度、质量、材料等方面。

1. 杆柱长度

研究路侧解体消能标志杆柱的合理长度，是为了防止标志上部结构解体后插入车内，对车内乘员的安全构成威胁。而研究路侧解体消能标志杆柱的长度，首先要确定研究车型的长度。

按照德国汽车分级标准，其等级划分的依据是轴距、排量、重量等参数。字母顺序越靠后，表示该级别车辆的轴距越长、排量和重量越大，轿车的豪华程度也越高。A 级车包括 A0、A00 级车，一般指小型轿车，B 级车是中档轿车，C 级车是高档轿车，而 D 级车指的则是豪华轿车。

调查资料显示，A00 级轿车的轴距应在 2～2.2m，排量小于 1L，如奥拓就属于 A00 级轿车；A0 级轿车的轴距为 2.2～2.3m，排量为 1～1.3L，比较典型的代表是夏利轿车；一般所说的 A 级车的轴距范围在 2.3～2.45m，排量在 1.3～1.6L，一汽大众的捷达、上海大众的 Polo 都是 A 级车中的典型代表。

B 级中档轿车的轴距在 2.45～2.6m，排量在 1.6～2.4L。近年来，B 级车市场逐渐成为国内汽车企业拼杀的主战场，奥迪 A4、帕萨特、东方之子等众多车型均属于 B 级车的范围。

根据我国《中国汽车分类标准》（GB 9417—89），将汽车分为 8 类，第 6 类为客车，第 7 类为轿车，如表 7-8 所示。

表 7-8　我国客车、轿车分类

客车	长度	轿车	排量
微型客车	$L \leqslant 3.5m$	微型轿车	$V \leqslant 1L$
轻型客车	$3.5m < L \leqslant 7m$	普通级轿车	$1L < V \leqslant 1.6L$
中型客车	$7m < L \leqslant 10m$	中级轿车	$1.6L < V \leqslant 2.5L$
大型客车	$L > 10m$	中高级轿车	$2.5L < V \leqslant 4L$
—	—	高级轿车	$V > 4L$

本节的设计指标确定的标准车型为小型客车，故选取车身平均长度为 4.5m。在机动车静止时，让标志的杆柱沿着碰撞点旋转，当杆柱长度为 2.8m 时，能够使标志的牌子落到车顶而不会砸到挡风玻璃上，这有利于保障车内乘员的安全。在实际碰撞过程中，应用的是路侧解体消能标志，车辆碰撞路侧解体消能标志的杆柱后，杆柱解体，车辆会继续向前行驶，杆柱的顶端更不会砸到挡风玻璃上，而是落在车顶或者车身的后面，保证了车内人员的人身安全，如图 7-11 所示。

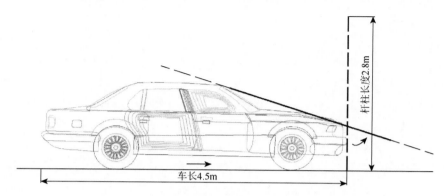

图 7-11　路侧解体消能标志的杆柱高度示意图

2. 杆柱质量

路侧解体消能标志的设计理论同样可以应用于照明设施的设计中，在美国的《路侧设计指南》中，交通标志和照明设施的解体消能标准是统一制定的。不过，当驶出行车道的车辆撞击照明设施时，除了要保障照明设施的杆柱能有效实现解体消能，由于照明设施通有电流，还需要对照明设施的杆柱进行有效设计，避免撞击到照明设施的车辆引发火灾和触电事故。

美国标准规定照明设施杆柱的最大高度不能超过 18.5m，18.5m 是美国学者通过解体装置碰撞试验验证的最大有效高度。由于杆柱长度的增加，路侧解体消能设施的质量也逐渐增大，为了防止杆柱跌落，砸破挡风玻璃或引起车顶较大的塑性变形而对车内乘员造成严重伤害，结合试验结果，美国标准规定照明设施杆柱的最大质量不能超过 450kg[150]。

本节采用目前应用比较广泛的单柱式交通标志，单柱式交通标志的杆柱为 108*4.5 钢管材质，长度为 2.8m，杆柱的截面积为 29.90cm^2，杆柱体积为 8372cm^3，结合钢的密度为 7.85g/cm^3，计算得到杆柱的质量为 65720.2g，即 65.72kg，即使加上交通标志板的质量也远小于 450kg。

双柱式交通标志或者三根立柱的交通标志的质量更大一些，但是仍远小于 450kg，所以杆柱质量是满足安全要求的。

3. 杆柱材料

根据《道路交通标志和标线》（GB 5768.2—2022）的规定，路侧解体消能标志的杆柱可选用 H 型钢、槽钢、钢管及钢筋混凝土管等材料制作，临时性的路侧解体消能标志可用木柱。同时，杆柱应进行防腐处理，在钢管顶端应加柱帽，防止雨雪进入杆柱。

路侧解体消能标志能够使用的材料非常广泛。

1）H 型钢

H 型钢由于截面设计比普通工字钢合理，力学性能更加优异。在相同重量的情况下，H 型钢的截面模数和抗弯能力更大。在承受相同荷载的情况下，H 型钢更加节约金属，H 型钢比普通工字钢可节约 10%～15%的金属；在桥梁上使用 H 型钢可减轻 15%～20%的结构重量，在建筑上使用 H 型钢可减轻 30%～40%的结构重量。

另外，H 型钢具有造型美观、规格多、加工方便等诸多优点，通过焊接方式可以生产许多规格尺寸。因此，H 型钢非常适合交通标志杆柱的设置，尤其是双柱式交通标志和三根立柱的交通标志等。

2）槽钢

槽钢的截面为凹槽形，是用于建造业和机械业的碳素结构钢，槽钢有普通槽钢和轻型槽钢两种类型。根据形状槽钢又可分为冷弯等边槽钢、冷弯内卷边槽钢、冷弯不等边槽钢、冷弯外卷边槽钢 4 种。由于具有较好的焊接、铆接性能及综合机械性能，槽钢主要用于建筑设计、车辆制造工程、幕墙工程、机械设备制造等，也是制造较大型路侧解体消能标志杆柱的良好材料。

3）钢管

钢管在我国路侧解体消能标志杆柱中的使用很普遍，尤其是单柱式交通标志。钢管按照轧制工艺可分为热轧无缝管和冷轧无缝管。

冷轧无缝管是在常温下，经过冷加工把钢板或钢带加工成各种类型的钢管。冷轧无缝管的优点是成型速度快，可以加工成不同的截面形式，以适应不同的使用需要，同时钢管的产量很高。冷轧无缝管通过使钢材产生很大的塑性变形，提高了钢材的极限应力值，是塑性连接方式的路侧解体消能标志的良好材料选择。

热轧无缝管相对于冷轧无缝管，是在再结晶温度以上进行轧制。热轧无缝管破坏钢锭的铸造组织，消除显微组织缺陷，在高温和压力作用下焊合浇注时形成的气泡、裂纹和疏松，细化钢材晶粒，从而使钢材组织密实，力学性能得到改善，使钢材沿轧制方向在一定程度上不再是各向同性体。

7.2.4　路侧解体消能标志杆柱的上部铰接设计

1. 上部铰接工作原理

双柱式交通标志、三根立柱的交通标志等通常用于标志板面积较大的路侧解体消能标志，路侧解体消能标志的杆柱在受到驶出行车道的车辆撞击的瞬间，会以杆柱与底座之间的固定连接器为圆心，有一个瞬时的角位移，此时，路侧解体消能标志的杆柱与底座之间的固定连接器受到剪力和弯矩的双重作用，随着汽车向前移动，固定连接器受剪力破坏，之后路侧解体消能标志的杆柱由于受到碰撞车辆的冲击力和标志整体约束的作用，杆柱就会在上部铰接处破坏，使碰撞车辆从标志板下穿过去，该过程如图 7-12 所示。

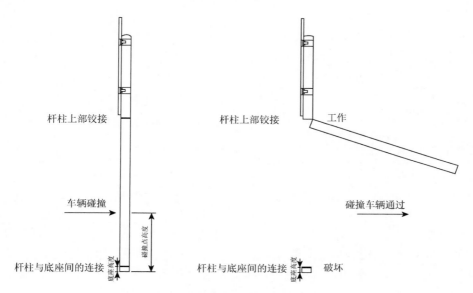

图 7-12　路侧解体消能标志杆柱的上部铰接工作原理

2. 上部铰接位置

路侧解体消能标志杆柱的上部铰接位置的示意图如图 7-13 所示。

通过对国内小型客车的统计发现，小型客车的高度在 1.4～1.6m，本节取小型客车的高度为 1.4m。小型客车以标准速度 40km/h 碰撞路侧解体消能标志，碰撞前、后速度的减小值为 3～5m/s，即 11～18km/h，标志牌下部下落到车身顶部的距离为 h，下落的时间由公式 $h = \frac{1}{2}gt^2$ 得出，即 $t = \sqrt{2h/g}$。同时为了保障车内乘员的安全，小型客车要在标志杆柱的解体部分下落到车顶之前通过，根据上述讨论确定标准车身长度为 4.5m，由公式 $l = vt$，得到 $t = l/v = 4.5/8.1 = 0.56\text{(s)}$。把时间 t 的值代入公式 $h = \frac{1}{2}gt^2$，得到上部铰接到车身顶部的距离 h 为 1.5m，故上部铰接距离地面的位置为 2.9m。

但是，在 7.2.3 节的杆柱长度设计中，杆柱长度在 2.8m 以上即满足安全要求，另外，也不必使车身全部通过路侧解体消能标志，只需下落的路侧解体消能标志杆柱和标志板不会落在车内乘员的身上，即车后座通过路侧解体消能标志即可。

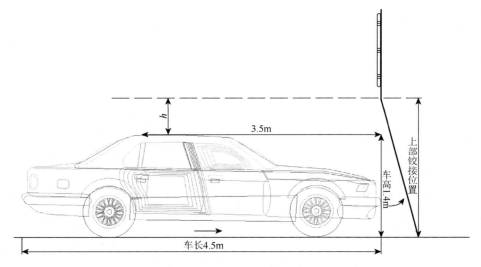

图 7-13　路侧解体消能标志杆柱的上部铰接

已知碰撞点到车后座的距离为 3.5m，下落时间 t 为 0.37s，求得上部铰接到车身顶部的距离 h 为 0.7m，杆柱长度为 3.1m，也大于杆柱长度设计指标的 2.8m，满足安全要求，故路侧解体消能标志杆柱的上部铰接位置在距离地面的 2.1m 处。

3. 上部铰接结构

路侧解体消能标志杆柱的上部铰接设计和杆柱底座连接的设计类似，主要有两种方式，一种是将上部铰接的截面形式设计为显著变化的形式，使上部铰接在碰撞过程中发挥功能，如在钢片上切缝隙或者凹槽，如图 7-14（a）所示；另外

(a) 凹槽式铰接

(b) 两边穿孔铰接

图 7-14　铰接形式

一种是通过在上部铰接上设置孔洞，使上部铰接成为薄弱面，起到解体消能的作用，如图 7-14（b）。如果路侧解体消能标志设置于中央分隔带，应在杆柱上部铰接的两侧均进行设计，确保路侧解体消能标志在受到不同方向的撞击时，上部铰接都能发挥作用，使车辆通过路侧解体消能标志，保护车内乘员的安全。

7.2.5　路侧解体消能标志的连接方式评价

1. 评价方法

AHP 是美国运筹学家匹兹堡大学的教授萨蒂于 20 世纪 70 年代初，在为美国国防部研究"根据各个工业部门对国家福利的贡献大小而进行电力分配"课题时，应用网络系统理论和多目标综合评价方法提出的一种层次权重决策分析方法。

AHP 作为一种决策分析方法，具有简洁性、灵活性和系统性的特点，表现在以下方面。

1）简洁性

AHP 不追求高深的数学模型，不片面地注重逻辑推理，通过分解复杂的系统，将思维过程变得数学化、系统化，便于人们接受，把多目标、多准则的评价问题转化为多层次单目标问题，通过两两比较确定同一层次元素相对于上一层次元素的数量关系[151]。

路侧解体消能标志的连接方式评价是一个复杂的系统，选取的评价指标较多。但 AHP 的评价步骤十分简单，评价过程也很清晰，能够通过比较确定同一层次元素相对于上一层次元素的数量关系，大大增加了综合评价效果的有效性。

2）灵活性

AHP 能进行定量分析和定性分析，采用相对标度对不可定量的因素进行统一量度，有机结合评价过程中的定性因素与定量因素。

在路侧解体消能标志的连接方式评价中，对于评价指标的分析和衡量，很大程度是根据主观的选择与判断，而 AHP 在评价过程能够充分利用人的经验和判断，反映被调查者对路侧解体消能标志连接方式的认识与看法，能够把定性与定量因素有机结合起来，灵活性很高。此外，AHP 也是一种最优化技术方法，能够应用最优化技术方法处理定性问题。

3）系统性

AHP 并不是基于因果方式的思维，而是把问题看作一个系统，在研究系统各组成部分的相互关系及系统所处环境的基础上进行决策，对于复杂问题，系统方式是一种有效的决策思维方式。

路侧解体消能标志的连接方式评价是一个复杂的系统，同时具有递阶层次形式，而 AHP 恰好反映了这类系统的决策特点，并且可进行扩展以研究复杂的系统。

　　由 AHP 的特点可以看出，AHP 能够有效评价一些复杂模糊问题，适用于那些难以完全定量分析的问题，易于掌握，也易于应用。该方法的系统性特点体现了系统分析和系统综合的思想。AHP 结合了专家打分法定性分析的优点，充分利用专家的经验，又采用数学模型进行定量分析。

　　通过上面对 AHP 和路侧解体消能标志连接方式评价的分析，可以看出二者的契合度非常高，故本节选择 AHP 进行路侧解体消能标志的连接方式综合评价。

　　2. 建立层次结构模型

　　1）评价模型分析
　　AHP 把评价的问题划分为三个层次，即目标层、准则层和方案层。
　　在确定路侧解体消能标志的连接方式评价指标体系的过程中，指标体系应尽可能完备，全面反映路侧解体消能标志连接方式的综合效果，避免指标有所遗漏；选取的评价指标应相互独立，减少不同层次的指标之间的相互包含；选取的各个评价指标应简单明确，能够定量表达；在评价指标中，重要的指标应设置多一些，次要指标要设置少一些。
　　目标层一般是分析问题的预定目标或理想结果，目标层中只有一个元素，在本次综合评价中是路侧解体消能标志连接方式的综合效果。
　　准则层包括所需考虑的因素、子因素，在本次综合评价中，准则层由两个层次组成，准则层 A 包括功能、操作、养护三个因素，准则层 B 由日常使用、事故可靠、安装难易、适用范围、常规养护和事故养护组成[152]。
　　方案层包括为实现综合评价目标可供选择的路侧解体消能标志连接方式类型，包括塑性连接、脆性连接和刚性连接三种。
　　路侧解体消能标志的连接方式综合评价的层次结构如图 7-15 所示。
　　2）构造比较判别矩阵
　　构造比较判别矩阵是为了对两个准则层内的评价指标赋予一定的权重，比较判别矩阵的形式为

$$A(a_{ij})_{n \times n} = \begin{bmatrix} a_{11} & \cdots & a_{1n} \\ \vdots & & \vdots \\ a_{n1} & \cdots & a_{nn} \end{bmatrix} \tag{7-2}$$

式中，a_{ij} 代表第 i 个因素对第 j 个因素的比较结果。比较时的尺度大小采用 1～9，其含义如表 7-9 所示。

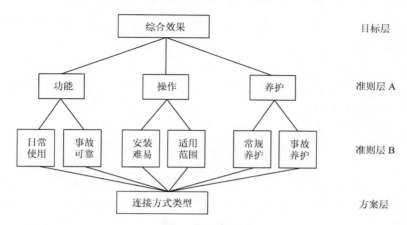

图 7-15　层次结构模型

表 7-9　比较判别矩阵的尺度

尺度	含义
1	第 i 个因素与第 j 个因素的影响相同
3	第 i 个因素比第 j 个因素的影响稍强
5	第 i 个因素比第 j 个因素的影响强
7	第 i 个因素比第 j 个因素的影响明显强
9	第 i 个因素比第 j 个因素的影响绝对强
2、4、6、8	以上前、后两级之间对应的标度值
倒数	后因素相对前因素的重要性标度

在本次综合评价中有双层评价指标，一个准则层 A 和三个准则层 B 的比较判别矩阵分别为

$$A=\begin{bmatrix} 1 & 2 & 5 \\ 1/2 & 1 & 3 \\ 1/5 & 1/3 & 1 \end{bmatrix},\quad B_1=\begin{bmatrix} 1 & 1/3 \\ 3 & 1 \end{bmatrix},\quad B_2=\begin{bmatrix} 1 & 2 \\ 1/2 & 1 \end{bmatrix},\quad B_3=\begin{bmatrix} 1 & 1/2 \\ 2 & 1 \end{bmatrix}$$

首先需要对比较判别矩阵 A 进行归一化处理，得到矩阵 A'，本节采用的归一化方法是将矩阵中的各因素除以各列的和，即将 a_{13} 除以 a_{13}、a_{23}、a_{33} 三个数的和。其次对各行因素求平均数，得到最大特征根对应的归一化向量 $W=(w_1,w_2,w_3)$。然后由 $A \times W$，对得出的向量中的元素进行求和，得到最大特征根 $\lambda_{\max}$。

对 A 进行归一化处理，得到

$$A'=\begin{bmatrix} 0.59 & 0.60 & 0.56 \\ 0.29 & 0.30 & 0.33 \\ 0.12 & 0.10 & 0.11 \end{bmatrix} \tag{7-3}$$

最后对归一化后的矩阵各行因素求平均数，得到最大特征根对应的归一化向量，即权向量 $W = (0.58, 0.31, 0.11)^T$。

根据 $AW = \lambda W$，求得 $AW = (1.75, 0.93, 0.33)$，最大特征根 $\lambda_{max} = 3.01$。

如果比较判别矩阵不具有一致性，则 $\lambda_{max} > n$，此时的归一化向量 W 就不能真实地反映其在目标中所占的比重。

定义衡量不一致程度的数量指标 CI：

$$CI = \frac{\lambda_{max} - n}{n - 1} \tag{7-4}$$

由于客观事物具有复杂性，人们的认识也可能产生片面性，同时人们的认识也是多样的，仅依靠 CI 作为是否具有满意一致性的标准是不够的。为此，引进了平均随机一致性指标 RI，当 n 的值取 1～11 时，平均随机一致性指标 RI 的取值如表 7-10 所示[153]。

表 7-10　平均随机一致性指标

n	RI
1	0
2	0
3	0.58
4	0.90
5	1.12
6	1.24
7	1.32
8	1.41
9	1.45
10	1.49
11	1.51

定义 CR 为一致性比例：

$$CR = \frac{CI}{RI} \tag{7-5}$$

若 CR≤0.1，则比较判别矩阵通过了一致性检验，可将其归一化向量作为权向量；若 CR＞0.1，则该比较判别矩阵没有通过一致性检验，需要考虑重新构造比较判别矩阵。

在本次评价中，$CI = \frac{\lambda_{max} - n}{n - 1} = 0.005$，当 $n = 3$ 时，RI = 0.58，CI = 0.005/0.58 = 0.0086＜0.10，比较判别矩阵通过了一致性检验。

同理得到，$W_{B1} = (0.75\ 0.25)^T$，$W_{B2} = (0.33\ 0.67)^T$，$W_{B3} = (0.34\ 0.66)^T$。

3. 规范评价指标

在 AHP 中，不同指标的绝对数值和量纲不同，而 AHP 是求不同指标在不同权重下的加权平均值，如果直接进行加权，违反数学原理，也没有实际意义，因此在对路侧解体消能标志的连接方式进行综合评价前需对不同指标进行规范化处理。

1）功能指标

路侧解体消能标志的功能包括日常使用和事故可靠两部分。路侧解体消能标志既要保证日常正常使用的稳定性，当发生碰撞事故时，又要尽可能地对驶出行车道的车辆不造成严重的损害。

在日常使用中，塑性连接方式的路侧解体消能标志是最能保证其稳定性的，因此将塑性路侧解体消能标志的值在本次评价中设为最优，日常使用的规范值为100。刚性路侧解体消能标志螺栓的松紧不好控制，过松不能保证日常使用的要求，过紧又不能保证发生碰撞事故时，螺栓能够被拔出，以及两个钢板分离。考虑到对车辆和乘员的保护作用，取其规范最低值 50。

发生碰撞事故时，脆性路侧解体消能标志底部的固定连接器很容易断裂，并且当受到各个方向的撞击时均能发生解体，其效果最好。在本次评价中，将其事故可靠的规范值设为 100。如果刚性路侧解体消能标志的上、下两个钢板的螺丝拧得过紧，不能保证发生碰撞事故时能够解体，有可能对车辆和乘员产生严重的危害，故取其规范最低值 50。功能指标的规范值见表 7-11。

表 7-11　功能指标的规范值

类型	塑性	脆性	刚性
日常使用	100	90	50
事故可靠	90	100	50

2）操作指标

操作指标包括安装难易和适用范围两部分。塑性连接方式的路侧解体消能标志的安装和一般标志杆柱的安装相同。在本次评价中，其安装最简便，将其安装难易的规范值设为100。脆性连接方式的路侧解体消能标志的安装需要用木栓、钢栓或铝制品将杆柱与底座上的固定连接器相连。而刚性连接方式的路侧解体消能标志需要两块平行的钢板，固定两块钢板的螺栓的松紧必须适度，安装难度最大，将其安装难易的规范值设为40。

塑性连接方式的路侧解体消能标志可以用于单柱式交通标志，对于各个碰撞方向都适用，但是塑性路侧解体消能标志不能用于双柱式交通标志。在本次评价中，将其适用范围的规范值设置为 70。

脆性连接方式的固定连接器可以使用木栓、钢栓或铝制品等脆性材料，其适用范围最广，在本次评价中将规范值设置为100。

刚性连接方式的路侧解体消能标志分为单向解体型和多向解体型，其受力方向的范围较小，若碰撞不是指定的设计方向，刚性连接方式的路侧解体消能标志就起不到解体消能、保护乘员的作用，其适用范围的规范值为50。

操作指标的规范值如表7-12所示。

表 7-12　操作指标的规范值

类型	塑性	脆性	刚性
安装难易	100	80	40
适用范围	70	100	50

3）养护指标

养护指标包括常规养护和事故养护。

塑性连接方式的路侧解体消能标志不需要特殊的常规养护，在本次评价中将规范值设为100，刚性路侧解体消能标志需要连接两块平行钢板的螺栓，且螺栓的松紧必须合适，其常规养护最为复杂，将规范值设为50。

发生事故后，塑性连接方式的路侧解体消能标志需要完全更换杆柱，其事故养护最难，同时杆柱的回收利用率最低，将其事故养护的规范值设为50。

刚性连接方式的路侧解体消能标志只需要重新更换螺栓，其事故养护最为简单，将规范值设置为100。

养护指标的规范值如表7-13所示。

表 7-13　养护指标的规范值

类型	塑性	脆性	刚性
常规养护	100	80	50
事故养护	50	80	100

7.2.6　综合评价结果

通过以上分析得到了综合评价模型准则层 B 中所有指标的权重和规范后的评分，下面应用 AHP 对三种路侧解体消能标志的连接方式进行评价。

对准则层 A 的得分进行计算，设 A_{ij} 为准则层 A 中各指标的得分矩阵，B_{ij} 为准则层 B 中各指标的得分矩阵，其中 i 代表指标，j 代表连接方式的类型。则 $A_{ij} = B_{ij} \cdot W_B^T$，其中 W_B^T 代表准则层 B 中各指标相对于准则层 A 的权重，B_{ij} 中的数据见表 7-11～表 7-13。而综合评价结果 $F = W_A \cdot A$，计算结果如下所示：

$$A = \begin{bmatrix} 92.5 & 97.5 & 50.0 \\ 90.1 & 86.6 & 43.3 \\ 66.5 & 80.0 & 83.5 \end{bmatrix}, \quad F = W_A \cdot A = (88.9, 92.9, 51.6)$$

综合评价结果显示，脆性连接方式的路侧解体消能标志评分最高，评价得分为 92.9；刚性连接方式的路侧解体消能标志评分最低，为 51.6；塑性连接方式的路侧解体消能标志的评分介于两者之间，评价得分为 88.9。

7.3　有限元模拟检验

本节利用有限元模型对路侧解体消能标志的杆柱与底座间的连接进行模拟，根据设计指标和设计方法，选择合适的材料，进行解体连接构件的设计和模拟评价。

7.3.1　有限元模型

利用有限元模型对碰撞试验进行模拟分析，优点是不同于传统的利用碰撞试验和测试来设计和评价路侧解体消能标志的安全性能，利用有限元模型模拟的效率高、费用低。

本节在模拟分析路侧解体消能标志的碰撞时，选择的模拟分析软件是大型通用有限元软件 ANSYS。该软件是由世界上最大的有限元分析软件公司之一——美国 ANSYS 公司开发的，属于集结构、流体、电场、磁场、声场分析于一体的大型通用有限元分析软件。美国 ANSYS 公司成立于 1970 年，致力于工程仿真软件和技术的研发，同时追求快速、高效和成本意识的产品开发，在全球众多行业中，设计的产品被工程师和设计师广泛采用。ANSYS 有限元软件能与多数 CAD 软件接口，如 AutoCAD、Nastran 软件等，实现数据的共享和交换，是现代产品设计中高级计算机辅助工程（computer aided engineering，CAE）的工具之一。ANSYS 有限元软件可以用来求解结构、流体、电力、电磁场及碰撞等问题，因此它可应用于航空航天、汽车工业、生物医学、桥梁、建筑、电子产品、重型机械、微机电系统、运动器械等工业领域[55]。

7.3.2　模型构建与求解

1. 模型构建

在路侧解体消能标志的工程模拟分析中，确定进行有限元模拟的整套方案，包括模拟的目标、各种影响因素的考虑、有限元单元类型的选择等，具体的模拟分析流程如图 7-16 所示。

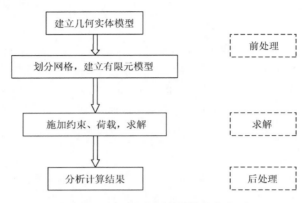

图 7-16　ANSYS 模拟检验流程

　　有限元模拟分析都是从创建模型开始的，确定进行有限元模拟的整套方案，首先需要确定模拟的对象。本节选取应用广泛的单柱式交通标志，标志板为直径 800mm、厚度 3mm 的 LF2-M 铝板，杆柱为长度 2.8m、直径 89mm、厚度 4.5mm 的钢管，杆柱使用的材料为 Q235 型号的钢。

　　建立模型需要应用的是 ANSYS 有限元软件的前处理模块，该模块提供了一个强大的实体建模工具，可以通过 ANSYS 有限元软件前处理模块中的建模模块提供的基本元素（点、线、面、体等），构建路侧解体消能标志几何模型，较为方便地构造三维有限元模型，主要包括标志板和标志杆柱两部分，如图 7-17 所示。

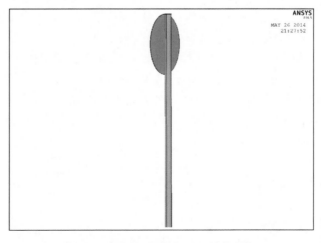

图 7-17　路侧解体消能标志几何模型

　　随后对于要模拟分析的路侧解体消能标志，给定其材料的属性，也就是给出材料的各种力学、热学、电磁学等参数。其中，材料为各向同性材料，杨氏模量、泊松比、材料密度等参数如表 7-14 所示。

表 7-14　模型材料属性

材料	杨氏模量/Pa	泊松比	材料密度/(kg/m³)
Q235 钢	2.1×10^{11}	0.33	7850
LF2-M 铝合金	0.7×10^{11}	0.33	2730

　　建立的路侧解体消能标志几何模型仅仅表示了需要分析的标志几何尺寸、形状，只有在划分成单元以后，才能进行有限元分析。把几何模型划分为单元的时候，需要选择单元的形状、类型，同时根据分析精度的需要设定不同单元的密度。ANSYS 有限元软件的前处理模块同时也提供了一个强大的网格划分工具，本节采用自由划分网格方法，单元形状选择为四面体，划分精度选择为 5，如图 7-18 所示。

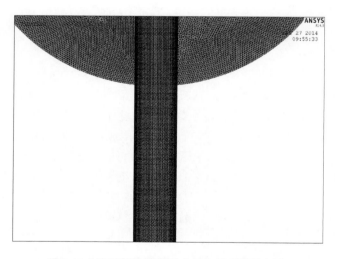

图 7-18　路侧解体消能标志几何模型网格划分

2. 施加约束和荷载

　　在完成路侧解体消能标志的有限元模型创建后，根据物理模型提供的简化或近似边界条件对模型进行加载。由于路侧解体消能标志与基座通过螺栓和加劲肋连接固定，在模拟分析中，对所建模型的杆柱底部的面施加全约束。

在 7.1.2 节中,通过对路侧解体消能标志与驶出行车道的车辆碰撞过程的分析发现,在碰撞中,路侧解体消能标志的受力十分复杂,在不同的荷载组合下,车辆碰撞力对路侧解体消能标志杆柱的连接构造的影响不同,因此当计算杆柱在碰撞过程中的内力时,要全面地考虑每一种可能的荷载组合。但为了最大限度地保障驶出行车道的车辆内乘员的安全,确定对车内乘员最不利的荷载组合情况进行模拟,即重力 + 逆向风荷载 + 正面车辆碰撞。

1)风荷载的计算

当风以一定的速度向前运动遇到路侧解体消能标志的阻挡时,风的一部分动能将以力的形式作用在标志板和杆柱上,形成风荷载,风荷载是确定路侧解体消能标志日常使用稳定性的重要因素。在确定对路侧解体消能标志产生影响的风荷载时,要综合考虑本地区的基准风压值、设计风速频率换算系数、风速高度变化修正系数和地形、地理条件等。

风荷载的值可按式(7-6)～式(7-9)进行计算:

$$\gamma = 0.012017e^{-0.0001Z} \tag{7-6}$$

$$v_d = k_2 k_5 v_{10} \tag{7-7}$$

$$w_d = \frac{1}{2}\frac{\gamma}{g}v_d^2 \tag{7-8}$$

$$F_w = k_0 k_1 k_3 w_d A_w \tag{7-9}$$

式中,γ 为空气容重,kN/m^3;Z 为标志任一部位距离地面的高度,m;v_d 为高度 Z 处的设计基准风速,m/s;v_{10} 为标志所在地区的设计基准风速,m/s;k_2 为风速高度变化修正系数;k_5 为阵风风速系数;w_d 为设计基准风压,kN/m^2;g 为重力加速度,m/s^2;F_w 为标志所受风荷载,kN;k_0 为设计风速重现期换算系数;k_1 为风荷载阻力系数;k_3 为地形、地理条件系数;A_w 为横向迎风面面积,m^2。其中,考虑地面粗糙度类别和梯度风的风速高度变化修正系数 k_2 的取值如表 7-15 所示。

表 7-15　风速高度变化修正系数

距地面或水平面高度/m	地表类别			
	A	B	C	D
5	1.08	1.00	0.86	0.79
10	1.17	1.00	0.86	0.79
15	1.23	1.07	0.86	0.79
20	1.28	1.12	0.92	0.79
30	1.34	1.19	1.00	0.85

对于 A、B 类地表，k_5 取 1.38；对于 C、D 类地表，k_5 取 1.7，A、B、C、D 类地表对应的地表状况如表 7-16 所示。

表 7-16　地表分类

地表类型	描述
A	海面、海岸、开阔水面
B	田野、乡村、丛林及低层建筑物稀少地区
C	树木及低层建筑物等密集地区，中、高层建筑物稀少地区，平缓的丘陵地区
D	中、高层建筑物密集地区，起伏较大的丘陵地区

对于路侧解体消能标志，k_0 取 1.0，当设计地区是强台风多发地区时，可根据实际情况适度提高 k_0 的值。

标志板受到的风荷载 F_{wh} 为

$$F_{wh} = k_0 k_1 k_3 w_d A_{wh} \tag{7-10}$$

杆柱受到的风荷载 F_{wp} 为

$$F_{wp} = k_0 k_1 k_3 w_d W_p H_p \tag{7-11}$$

式中，W_p 为杆柱的迎风面宽度，m；H_p 为杆柱的迎风面高度，m，应扣除被标志板遮挡的部分。

由式（7-6）～式（7-11）求得标志板受到的风荷载 F_{wh} 的值为 0.427kN，杆柱受到的风荷载 F_{wp} 的值为 0.212kN。

2）路侧解体消能标志自重的计算

$$G = (V_h \rho_1 + V_p \rho_2) g \tag{7-12}$$

式中，G 为标志总重量，N；V_h 为标志板的体积，m^3；V_p 为标志杆柱的体积，m^3；ρ_1 为标志板材料的密度，kg/m^3；ρ_2 为标志杆柱材料的密度，kg/m^3；g 为本地实测的重力加速度，m/s^2。

计算得到标志总重量 G 的值为 0.684kN。

3）碰撞车辆冲击力的计算

车辆在驶出行车道过程中与路侧解体消能标志发生碰撞时，车辆的运动轨迹和车内乘员的运动状态不容易确定，因此建立和求解运动方程式也很困难。在碰撞过程中，乘员和车辆的运动规律有较大差异，当车身的塑性变形很大时，会导致车内的仪表板、前围板等零部件压迫进入驾驶室内，加大了问题的求解难度。

虽然碰撞车辆是具有尺寸的物体，但是需要计算的不是冲击力随时间的变化，而是冲击力对车内乘员的伤害程度。把驶出行车道的车辆与标志的碰撞简化为质点碰撞问题，然后就可以用经典物理学的动量原理来求车辆对标志的冲击力。根据动量定理，在碰撞过程中路侧解体消能标志所受的冲量与车辆所受的冲量相等，在计算过程中，不考虑车内乘员与车辆之间的相对运动，把车辆的冲量转变为车内乘员的冲量，在 7.1.2 节中根据普通人所能承受的最大过载制定了减速度指标为 2g，则碰撞车辆的减速度为 2g，然后利用冲量定理，得到碰撞车辆对标志的冲击力 F：

$$F = ma \tag{7-13}$$

在式（7-13）中，车辆质量 m 的值参考 7.1.2 节中制定的防护车辆的标准质量，m 的值取 1500kg。减速度 a 也参考 7.1.2 节，值的大小为 2g，利用式（7-13）计算得到冲击力 F 的值为 29.43kN。

在计算完最不利的荷载组合情况（重力＋逆向风荷载＋正面车辆碰撞）需要的荷载后，把荷载和约束加载到所建的路侧解体消能标志几何模型上，如图 7-19 所示。

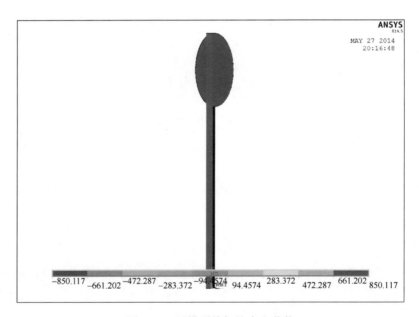

图 7-19　对模型施加约束和荷载

3. 求解和结果分析

ANSYS 有限元软件的分析计算模块包括结构分析、流体动力学分析、压电分析、耦合分析等多种功能，模拟多种物理介质的相互作用，在求解建立的路侧解体消能标志几何模型时，从输出窗口中可以查看求解过程的信息。

ANSYS 有限元软件的后处理模块的计算结果有很多表示形式，包括彩色等值线显示、彩色云纹图显示、梯度显示、矢量显示、透明及半透明显示等，还可以通过列表查看节点的受力。本研究通过颜色云纹图直观地显示结果，同时通过列表来查看关心位置的受力数值变化。

在建立模型时，选取的普通交通标志在最不利荷载组合下，其扰度变化和应力大小如图 7-20 和图 7-21 所示。

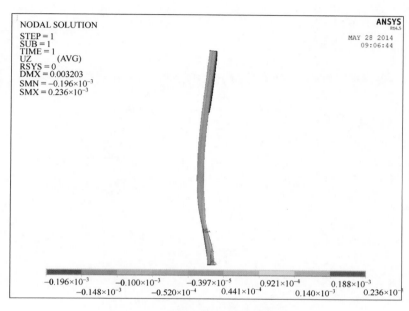

图 7-20　普通交通标志杆柱扰度图

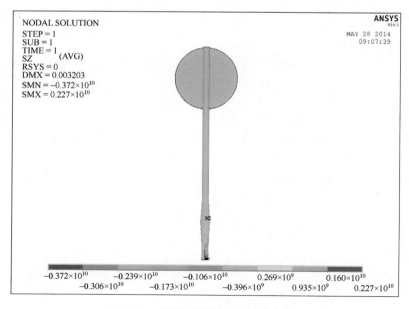

图 7-21　普通交通标志杆柱应力图

在杆柱距离地面 0.07m 处，选取一个截面，通过列表查看圆环上的单元所受应力的大小，如图 7-22 及表 7-17 所示。

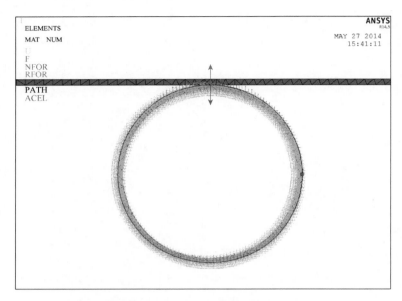

图 7-22　普通交通标志杆柱截面应力

表 7-17　普通交通标志杆柱应力

序号	应力/Pa	序号	应力/Pa
1	4.49×10^6	16	-4.50×10^6
2	3.62×10^7	17	-4.44×10^7
3	7.57×10^7	18	-8.19×10^7
4	1.12×10^8	19	-1.16×10^8
5	1.44×10^8	20	-1.44×10^8
6	1.70×10^8	21	-1.66×10^8
7	1.87×10^8	22	-1.81×10^8
8	1.96×10^8	23	-1.89×10^8
9	1.96×10^8	24	-1.89×10^8
10	1.87×10^8	25	-1.81×10^8
11	1.70×10^8	26	-1.66×10^8
12	1.44×10^8	27	-1.44×10^8
13	1.12×10^8	28	-1.15×10^8
14	7.57×10^7	29	-8.19×10^7
15	3.62×10^7	30	-4.44×10^7

标志杆柱使用的材料是 Q235 钢，其屈服强度为 235MPa，极限抗拉强度为 455MPa。通过表 7-17 可见，标志杆柱受到的最大拉应力为 $1.96 \times 10^8 N$，最大压应力为 $1.89 \times 10^8 N$，小于屈服强度和极限抗拉强度，不会被破坏，所以普通交通标志在最不利荷载组合下，不能起到保护车内乘员安全的作用。

7.3.3　路侧解体消能标志结构设计

通过上面对普通交通标志的模拟分析可知，普通交通标志的杆柱不能起到保护车内乘员安全的作用，所以需要设计路侧解体消能标志。通过进行建模模拟分析，验证指标设计和方法研究的准确性。

路侧解体消能标志连接构件的设计需要确定两个因素，一个是截面形式，另一个是构件材料。

本节路侧解体消能标志连接构件的材料不变，仍为 Q235 钢，通过设计新的截面形式，建立新的几何模型，进行模拟分析。

要设计新的截面形式，还要确定连接构件的位置，通过 7.2 节的分析，设计指标中的底座高度为 0.1m。同时，路侧解体消能标志的杆柱和基座的连接需要安装加劲肋，因此连接构件的位置设置在距离杆柱底部 7cm 处。

1. 连接设计结构 1

利用 7.2.2 节路侧解体消能标志杆柱与底座连接方式的设计方法，通过在连接构件处设计凹槽，获得截面形式显著变化的连接设计结构。

路侧解体消能杆柱的厚度为 4.5mm，凹槽的厚度为 1.5mm，高度为 8mm，使截面形式显著变化，如图 7-23 所示。

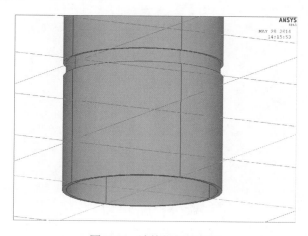

图 7-23　连接设计结构 1

　　通过 ANSYS 有限元软件的前处理模块对连接设计结构 1 进行建模，在施加约束和最不利荷载组合后，进行求解，并利用后处理模块的颜色云纹图对结果进行分析，如图 7-24 和图 7-25 所示。

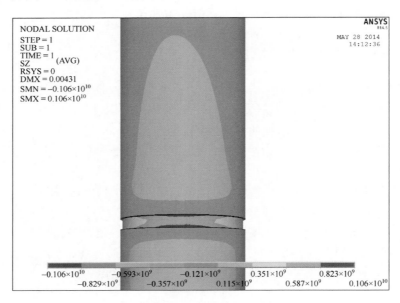

图 7-24　连接设计结构 1 碰撞方向的应力

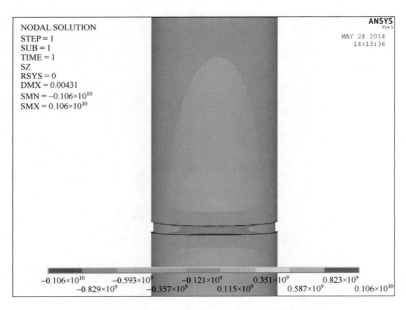

图 7-25　连接设计结构 1 风荷载方向的应力

对连接设计结构 1 划分的单元进行应力分析，见表 7-18。

表 7-18　连接设计结构 1 的杆柱应力

序号	应力/Pa	序号	应力/Pa
1	-1.35×10^6	16	-4.50×10^6
2	1.52×10^8	17	-4.44×10^7
3	3.02×10^8	18	-8.19×10^7
4	4.36×10^8	19	-1.16×10^8
5	5.48×10^8	20	-1.44×10^8
6	6.38×10^8	21	-1.66×10^8
7	6.96×10^8	22	-1.81×10^8
8	7.30×10^8	23	-1.89×10^8
9	7.17×10^8	24	-1.89×10^8
10	6.74×10^8	25	-1.81×10^8
11	6.21×10^8	26	-1.66×10^8
12	5.37×10^8	27	-1.44×10^8
13	4.19×10^8	28	-1.15×10^8
14	2.89×10^8	29	-8.19×10^7
15	1.47×10^8	30	-4.44×10^7

可见，连接设计结构 1 受到的最大拉应力为 7.30×10^8N，最大压应力为 1.89×10^8N，超过 Q235 钢的极限抗拉强度 455MPa，路侧解体消能标志会破坏解体，能起到保护车内乘员安全的作用。

2. 连接设计结构 2

和连接设计结构 1 类似，同样利用 7.2.2 节中路侧解体消能标志杆柱与底座连接方式的设计方法。不同的是，连接设计结构 2 设置了孔洞，成为碰撞过程中的受力薄弱面，起到解体消能的作用。

在连接设计结构 2 上设置 4 个直径为 8mm 的孔洞，每个孔洞之间的角度为 90°，设置的孔洞特征如图 7-26 所示。

通过 ANSYS 有限元软件对连接设计结构 2 的前处理模块进行建模，在施加约束和最不利荷载组合后，进行求解，并利用后处理模块的颜色云纹图对结果进行分析，如图 7-27 和图 7-28 所示。

对连接设计结构 2 划分的单元进行应力分析，如表 7-19 所示。

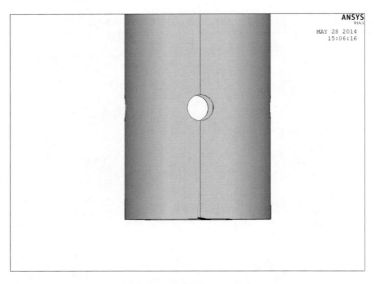

图 7-26　连接设计结构 2

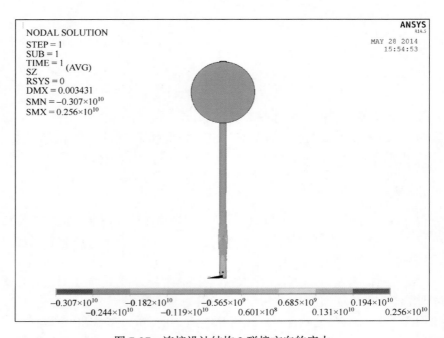

图 7-27　连接设计结构 2 碰撞方向的应力

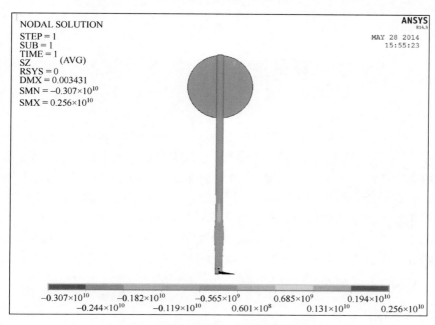

图 7-28　连接设计结构 2 风荷载方向的应力

表 7-19　连接设计结构 2 的杆柱应力

序号	应力/Pa	序号	应力/Pa
1	4.74×10^7	13	-6.54×10^7
2	7.14×10^7	14	-7.67×10^7
3	1.03×10^8	15	-1.05×10^8
4	1.28×10^8	16	-1.28×10^8
5	3.50×10^8	17	-1.47×10^8
6	4.15×10^8	18	-2.09×10^8
7	5.17×10^8	19	-2.12×10^8
8	4.50×10^8	20	-1.47×10^8
9	3.28×10^8	21	-1.28×10^8
10	1.03×10^8	22	-1.06×10^8
11	7.23×10^7	23	-7.72×10^7
12	5.30×10^7	24	-7.34×10^7

　　可见，连接设计结构 2 受到的最大拉应力为 5.17×10^8N，最大压应力为 2.12×10^8N，超过 Q235 钢的极限抗拉强度 455MPa，路侧解体消能标志会破坏解体，能起到保护车内乘员安全的作用。

第8章　双车道公路最高车速限制方法

合理规定双车道公路限速值，运用适用于双车道公路运行的合理限速方法，对于减少不必要的损失，具有非常重要的现实意义。考虑到双车道公路路侧事故的致死率较高，本章从减少双车道公路路侧事故发生概率的角度出发，利用 4.1.3 节识别的路侧事故显著性风险因素，即圆曲线半径、硬路肩宽度、纵坡坡度、路面附着系数、车速和车型，通过借助贝叶斯判别分析构建路侧事故判别函数，研究提出对应不同道路设计指标的最高安全车速计算模型。由此针对双车道公路的特殊路段（平曲线路段和弯坡组合路段）制定最高车速限制方案。

8.1　最高安全车速计算模型

8.1.1　路侧事故判别函数

本章涉及的路侧事故状态主要包括路侧事故发生和不发生两种状态，即
$$\begin{cases} i = 1，路侧事故发生 \\ i = 2，路侧事故不发生 \end{cases}$$

由 4.1.4 节可知，车型对路侧事故发生的影响较大，为了进一步探究不同车型对应的路侧事故发生的判别条件，本节针对小型客车和载重货车分别构建了双车道公路路侧事故判别函数。首先将车速、圆曲线半径、路面附着系数、硬路肩宽度和纵坡坡度作为自变量，路侧事故状态作为分类变量，纳入贝叶斯判别分析中。其次设定数据样本分属各类别的比例并作为先验概率，考虑到通过仿真试验获取的部分数据有可能存在不符合多元正态分布的情况，故采用逐步判别方法进行分析。最后得到小型客车和载重货车的判别函数检验结果如表 8-1 所示。

表 8-1　输入/删除指标

车型	指标	λ of Wilks				近似 F			
		统计量	Df_1	Df_2	Df_3	统计量	Df_1	Df_2	Sig
小型客车	圆曲线半径	0.806	1	1	6399	1543	1	6399	0.000
	车速	0.521	2	1	6399	1949	2	6398	0.000

车型	指标	λ of Wilks							
		统计量	Df_1	Df_2	Df_3	近似 F			
						统计量	Df_1	Df_2	Sig
小型客车	路面附着系数	0.391	3	1	6399	1476	3	6397	0.000
	纵坡坡度	0.082	4	1	6399	1150	4	6396	0.000
	硬路肩宽度	0.026	5	1	6399	941	5	6395	0.000
载重货车	车速	0.540	1	1	6400	3600	1	6400	0.000
	圆曲线半径	0.384	2	1	6400	3417	2	6399	0.000
	硬路肩宽度	0.263	3	1	6400	2471	3	6398	0.000
	纵坡坡度	0.145	4	1	6400	1993	4	6397	0.000
	路面附着系数	0.038	5	1	6400	1639	5	6396	0.000

注：Df_1、Df_2、Df_3 和 Sig 代表模型优度指标。

由表 8-1 可知，小型客车和载重货车的检验结果中 Wilks 的最终 Lambda 值分别为 0.026、0.038，且所有 Sig 值均等于 0.000，具有统计学意义。说明无论对于小型客车还是载重货车，上述 5 个被纳入贝叶斯判别分析的风险指标对判别函数均具有较高的显著性。因此，采用这 5 个风险指标建立的判别函数具备较强的判别能力，由此构建的路侧事故判别函数如下。

1. 小型客车

路侧事故发生的判别函数为

$$E_1^{car} = -16.893 + 0.156v + 0.015R + 7.345\mu + 4.052w + 0.754i_1 \tag{8-1}$$

路侧事故不发生的判别函数为

$$E_2^{car} = -14.519 + 0.083v + 0.018R + 11.085\mu + 4.664w + 0.549i_1 \tag{8-2}$$

2. 载重货车

路侧事故发生的判别函数为

$$E_1^{truck} = -18.528 + 0.198v + 0.014R + 8.375\mu + 3.352w + 0.874i_1 \tag{8-3}$$

路侧事故不发生的判别函数为

$$E_2^{truck} = -14.142 + 0.09v + 0.016R + 10.267\mu + 4.606w + 0.568i_1 \tag{8-4}$$

式中，E_1^{car} 为小型客车发生路侧事故的判别函数值；E_2^{car} 为小型客车不发生路侧事故的判别函数值；E_1^{truck} 为载重货车发生路侧事故的判别函数值；E_2^{truck} 为载重货车不发生路侧事故的判别函数值。

将一组风险指标代入上述判别函数中，若 $E_1 > E_2$，则判定为发生路侧事故；若 $E_1 < E_2$，则判定为不会发生路侧事故。

8.1.2 最高安全车速计算模型构建

通过 4.1.4 节的路径分析可得，车速是造成路侧事故的最显著性风险因素。因此，在难以对公路线形设计进行优化的情况下，需要对车速进行有效控制。本节基于构建的路侧事故判别函数，认为当 $E_1 > E_2$ 时，才会发生路侧事故。故在此基础上，分别令 $E_1^c \geqslant E_2^c$ 及 $E_1^t \geqslant E_2^t$，通过联立式（8-1）和式（8-2），以及式（8-3）和式（8-4），整理化简后，可得到对应不同圆曲线半径、路面附着系数、硬路肩宽度和纵坡坡度的小型客车和载重货车的最高安全车速临界值，分别如式（8-5）和式（8-6）所示：

$$v^c \leqslant 22.50 + 0.04R + 51.23\mu + 8.38w - 2.81i_1 \tag{8-5}$$

$$v^t \leqslant 30.61 + 0.02R + 17.52\mu + 11.61w - 2.83i_1 \tag{8-6}$$

式中，v^c 为小型客车的最高安全车速临界值（km/h）；v^t 为载重货车的最高安全车速临界值（km/h）。

为了进一步证实最高安全车速计算模型的有效性，本节选取一起真实事故案例进行验证。2018 年 5 月 20 日，一辆小型客车由东向西行驶至事故地点驶入路侧沟渠，路侧事故造成车辆前部严重损坏，驾驶人重伤。根据警方材料及现场勘查可知，事发路段为双向两车道，干燥沥青路面，圆曲线半径为 32m，硬路肩宽度为 1m，纵坡坡度为 0%，路面附着系数为 0.7，事故概况如图 8-1 所示。

<table>
<tr><td>(a) 事发路段</td><td>(b) 车辆最终位置</td></tr>
</table>

图 8-1 事故概况

将事发路段道路设计指标代入式（8-5）中，计算得到此路段允许的小型客车最高安全车速临界值为

$$v^c \leqslant 22.50 + 0.04 \times 32 + 51.23 \times 0.7 + 8.38 \times 1 - 2.81 \times 0 + 1.52 \times (-0.5) = 67 \text{ (km/h)}$$

根据计算结果，若小型客车以大于 67km/h 的速度通过上述路段，则判定会发生路侧事故。结合事发路段的监控视频，运用视频图像法计算得到小型客车发生路侧事故时的车速约为 83km/h，大于 67km/h，由此验证了最高安全车速计算模型的有效性。

8.2　特殊路段车速限制值

公路的几何线形直接影响着交通安全和运输效率。从路侧事故分布来看，双车道公路的特殊路段尤其是平曲线路段和弯坡组合（平纵组合线形）路段，是路侧事故发生的密集区[43]，尽管公路设计工程师在设计公路线形时严格按照汽车动力性原理和公路设计的标准、规范，但是发生在平曲线路段的路侧事故频率及路侧事故的严重性仍是比较大的，这与驾驶人不当的超速行为密切相关。

8.2.1　公路平面线形与交通安全的关系

公路的平面线形主要受平曲线半径的影响。通常一个长直线接单一小半径平曲线比连续曲线接单一小半径平曲线更危险，平纵组合路段且路面摩擦系数较小的平曲线路段也很危险。相关统计数据也指出，公路平曲线中不规则的小半径曲线发生交通事故的可能性较其他更高，如在线形较好的路段突然出现一个孤立的小半径平曲线[154]。

目前，人们普遍的观点是随着平曲线半径的增大或者曲率减小，交通事故的危险性就会降低，但是关于它对交通事故的影响程度，人们还有很大的分歧。Hess 等认为在平均日交通量不到 5000pcu/d 的情况下，随着平曲线半径的增大，交通事故率就会减少，并认为在平曲线半径小于 600m 的情况下，交通事故率随着公路出现平曲线频率的增加而减少。根据他们的调查，与连续的小半径平曲线路段相比，单一小半径平曲线对交通安全更具威胁性[155]。Himes 等认为在小半径平曲线上，交通量小的公路有很高的交通事故率，因为在交通量小的情况下，驾驶人更愿意选择高速行车。另外，平曲线数目少的路段的安全性比平曲线分布多的路段要小[156]。

Zwahlen 和 Park 的研究指出，当平曲线半径小于 175m 时，交通事故的发生极其频繁。对于大半径平曲线，增加平曲线的半径对降低交通事故率帮助不大[157]。

Gooch 等发现，当平曲线半径不到 800m 时，由于汽车制动侧滑而产生的交通事故率，潮湿路面要高于干燥路面，尤其是当平曲线半径不足 250m 时，这种差距更明显[158]。Zheng 等也曾提到公路设计中设置单个小半径平曲线是不安全的，由于汽车在进入曲线前及在曲线中的速度不同，他们认为：①"安全曲线"为 $\Delta V \leqslant 20\%$；②"中等安全曲线"为 $20\% < \Delta V \leqslant 40\%$；③"不安全曲线"为 $40\% < \Delta V \leqslant 60\%$；④"极其危险曲线"为 $\Delta V > 60\%$。其中，ΔV 为汽车行驶速度变化值[159]。

Hasan 等认为：①随着平曲线半径的增大，在平曲线路段发生交通事故的危险性就会降低；②平曲线半径不到 200m 路段的交通事故率是平曲线半径大于 400m 路段的交通事故率的 2 倍；③当平曲线半径为 400m 时，为交通安全拐点；④当平曲线半径大于 400m 时，增加平曲线半径对安全的改善效果不明显[160]。

Kang 等提出关于平曲线半径与交通事故率之间关系的观点，他们认为平曲线半径的大小确实影响着交通事故率，发生在小半径平曲线路段的交通事故率及交通事故损失率都是极其高的。当平曲线半径增至 400m 时，交通事故率较平曲线半径为 100m 路段的交通事故率下降了 30%～40%。在平曲线半径上升到 1000m 的过程中，交通事故的危险性将有轻微的下降，但是在平曲线半径大于 1000m 以后，发生在平曲线上的交通事故率将会略微升高。Kang 等解释上述原因时指出：影响发生在平曲线上的交通事故的因素不仅仅为平曲线半径，还有发生交通事故时的行车时间、公路路面状况、行车速度、交通量及公路的宽度等[161]。

综上所述，可以得出关于平面线形影响交通安全的结论。

（1）一个长直线接单一小半径平曲线比连续曲线接单一小半径平曲线更危险，交通事故率随着公路出现平曲线频率的增加而减少。

（2）小半径平曲线是诱发交通事故的重要因素，合理增加平曲线半径能改善平曲线的交通安全性。

（3）在小半径平曲线的交通事故高发区，通过增大平曲线半径可有效提高平曲线的安全性；在平曲线半径增至 400m 以后，平曲线半径继续增加对安全的改善效果不明显；当平曲线半径过大时，行车速度的增大也会造成交通事故的增加。

8.2.2　公路平纵组合线形与交通安全的关系

González 等的研究认为，无论在曲线段还是直线段，坡度越大事故率越高；在相同的纵坡下，曲度越大，事故率越高，但没有明确表明纵坡和平曲线的相互作用[162]。此外，Crosstown 协会通过对芝加哥高速公路的数据分析，对直线段和曲线段进行了比较，结果如表 8-2 所示[163]。

表 8-2　直线段与曲线段交通事故数

路段类型	曲线段交通事故数/起	直线段交通事故数/起
水平	2.29	1.10
上坡	2.25	1.87
下坡	2.56	2.49

从表 8-2 可以明显看出，平曲线影响交通安全，坡度也影响交通安全，但并不能明确显示出平纵组合线性对交通事故有不寻常的影响。

Roy Jorgensen 协会研究证实了由 Jovanovic 等第一次提出的交通事故率同时受到许多公路特征的影响，如公路宽度、平曲线、纵坡、视距等[164]。表 8-2 展示的交通事故数不单单受纵坡影响，而是许多因素共同作用的结果。因此，应该正确计算所有重要的变量，才能得到可信的结论。多元统计模型是一种计算多变量因素共同影响的方法。

Vijaya 和 Sreedhar 收集了路侧致命事故地点的曲线和坡度两组数据，一组是路侧事故发生地上游 1mi① 路段的数据，一组是随机抽取的 300 个位置的数据。结果发现，小半径左转弯曲线和下坡组合路段有很高的交通事故率[165]。

多数研究发现凹凸竖曲线也是交通事故的高发地，存在很大的安全隐患。研究结果表明交通事故高发原因与速度有很大的关联，这一点可以肯定，并且有有效的数据资料证明。

综上所述，可以得出关于平纵组合线形影响交通安全的结论。

（1）纵坡通过不同的机理影响交通安全，车辆一般在上坡时减速，下坡时加速。速度与交通事故的严重程度有关，交通事故越严重越可能被记录和记入统计数据库。

（2）速度变化越频繁，交通事故发生的频率就越大。因为公路的纵坡影响着速度变化的多样性，所以纵坡在影响交通事故率的同时还影响制动距离，尤其对于载重货车，这也影响了交通事故发生的频率和严重性；同时，纵坡还影响路面的排水，这也影响了交通安全。

（3）交通事故是由多种因素共同作用的结果。像排水这样的因素，上、下坡间的不同对交通事故的影响无关紧要，而像速度变化这样的因素是非常重要的。如果没有考虑坡长的影响，就不能准确地理解、描述和预测纵坡对交通安全的影响。例如，较短的下坡可能对速度没有影响，相反，长下坡对速度有很大的影响。此外，凹凸竖曲线的顶部和底部可以看作坡度相同，但是这两个位置的速度分布明显不同。

---

① 1mi = 1609.344m。

公路由许多单独线形因素组成，单独分开考虑这些因素能使一些问题具体化、分析问题更有针对性，但是公路不仅仅是这些单独线形因素的简单连接，它是各个因素互相支持、互相协调的有机整体。下坡衔接小半径平曲线会引起较大的交通事故率，小半径平曲线后衔接下坡同样会使交通事故率上升，这均与较高的运行速度有关，因此有必要对平曲线路段、弯坡组合路段进行车速限制的研究。

8.2.3　特殊路段划分方法

在开展特殊路段的车速限制研究前，应对特殊路段进行有效划分。我国在进行公路安全性评价时，主要依据《公路项目安全性评价规范》（JTG B05—2015），认为公路线形与运行速度同步变化，并依据平曲线半径和纵坡坡度指标，将公路划分为平直路段、平曲线路段、纵坡路段、弯坡组合路段、隧道路段等若干个分析单元。在不同的公路等级下，平直路段、纵坡路段及弯坡组合路段的划分不同。高速公路的分析单元划分应符合表 8-3 的规定，二级、三级双车道公路的分析单元划分应符合表 8-4 的规定。

表 8-3　高速公路分析单元划分原则

车型	纵断面	平面	
		$R \leqslant 1000\text{m}$	$R > 1000\text{m}$
小型车或大型车	$i < 3\%$	平曲线路段	平直路段
	$i \geqslant 3\%$	弯坡组合路段	纵坡路段

表 8-4　二级、三级双车道公路分析单元划分原则

车型	纵断面	平面	
		$R \leqslant 600\text{m}$	$R > 600\text{m}$
小型车或大型车	$i < 3\%$	平曲线路段	平直路段
	$i \geqslant 3\%$	弯坡组合路段	纵坡路段

《公路项目安全性评价规范》（JTG B05—2015）关于路段的划分已被广泛应用于公路安全性评价及运行速度预测，以此为基础，不少学者提出了不同的平曲线半径与纵坡坡度的划分方法[166]。

乔建刚基于山区双车道公路自由流速度的一致性提出了双车道公路的线形分级方法[167]，即从平曲线半径与速度两方面入手：一方面，忽略平曲线半径而根据速度对坡度值进行划分，然后给定坡度值来划分平曲线半径；另一方面，忽略坡度值而根据速度对平曲线半径进行划分，然后给定平曲线半径来划分坡度值。最后综合两方面确定了山区双车道公路线形的等级划分，研究成果如表 8-5 所示。

表 8-5　基于自由流速度的山区双车道公路线形等级划分

分类	平直路段	一般最小半径路段	最小半径路段
平曲线半径值	$R>600\mathrm{m}$	$R>300\mathrm{m}$	$R<60\mathrm{m}$
分类	陡坡路段	一般陡坡路段	平坡路段
纵坡值	$i>6.5\%$	$2.5\%\leqslant i\leqslant 6.5\%$	$i<2.5\%$

宋涛依据都汶公路的安全性评价成果及国道 318 线海竹段的安全性评价成果，根据山区低等级公路坡长弯、小的特点，考虑平纵组合路段的安全性，适当增加其坡度范围，在评价运行速度时，将路段划分为如表 8-6 所示[168]。

表 8-6　评价运行速度时的路段划分方法

纵坡	半径	路段划分
$i>3\%$	—	纵坡路段
—	$R<300\mathrm{m}$	平曲线路段
$i<3\%$	—	直线路段
—	$R>300\mathrm{m}$	大半径平曲线路段
$i>2\%$，坡长 $L>300\mathrm{m}$	$R>300\mathrm{m}$	平纵组合路段

张泽良在分析平面线形因素及纵断面线形因素与运行速度的关系时，基于评价规范，界定弯坡组合路段为平曲线半径小于 600m 且纵坡大于 2%的路段[169]。

胡江碧等采用动态全球定位系统（global positioning system，GPS）、心电仪，实时测量试验车辆位置、试验驾驶员驾驶工作负荷度指标参数，研究了公路线形因素与驾驶工作负荷度之间的关系，基于驾驶工作负荷度的变化特性，提出了不同线形组合路段的划分标准，高速公路如表 8-7 所示，双车道公路如表 8-8 所示[170]。

表 8-7　高速公路不同线形组合路段的划分标准

车型	纵坡		半径
小客车	上坡	3.5%	850m
	下坡	−3.0%	
大货车	上坡	2.5%	930m
	下坡	−3.0%	

表 8-8 双车道公路不同线形组合路段的划分标准

车型	纵坡		半径
小客车	上坡	3.5%	800m
	下坡	−3.5%	
大货车	上坡	3.0%	850m
	下坡	−3.0%	

吕新鹏在对运行速度进行预测时，根据纵坡及平曲线半径的不同，将弯坡组合路段界定为平曲线半径小于等于 500m、纵坡大于 3%的路段[171]。

目前，国内外涉及划分路段单元的规范及文献较少，当然不限于上述原理、方法，总体而言，借鉴规范的路段单元划分方法较多，不借鉴规范的路段单元划分方法多用于进行某种评价工作。

8.2.4 确定车速限制值

利用 8.1.2 节构建的最高安全车速计算模型，分别对公路的平曲线路段和弯坡组合路段进行车速限制的研究。考虑到制定的车速限制方法的适用性，结合《公路工程技术标准》（JTG B01—2014）与《公路路线设计规范》（JTG D20—2017）的相关规定，并参照《公路项目安全性评价规范》（JTG B05—2015）对于双车道公路路段的划分方法（表 8-4），根据式（8-5）和式（8-6），针对小型客车和载重货车，分别给出了对应不同硬路肩宽度（0.75m 和 1.5m）和路面条件（干燥路面附着系数取 0.7，冰雪路面附着系数取 0.3）的双车道公路平曲线路段和弯坡组合路段的车速限制值，如表 8-9～表 8-16 所示。

1. 平曲线路段

表 8-9 硬路肩宽度为 0.75m，干燥路面的平曲线路段小型客车/载重货车的车速限制值

（单位：km/h）

纵坡	半径					
	600m	500m	400m	300m	200m	100m
0%	89/64	85/62	81/60	77/58	73/56	69/54
1%	86/61	82/59	78/57	74/55	70/53	66/51
2%	83/58	79/56	75/54	71/52	67/50	63/48

表 8-10　硬路肩宽度为 1.5m，干燥路面的平曲线路段小型客车/载重货车的车速限制值

（单位：km/h）

纵坡	半径					
	600m	500m	400m	300m	200m	100m
0%	95/72	91/70	87/68	83/66	79/64	75/62
1%	92/69	88/67	84/65	80/63	76/61	72/59
2%	89/67	85/65	81/63	77/61	73/59	69/57

表 8-11　硬路肩宽度为 0.75m，冰雪路面的平曲线路段小型客车/载重货车的车速限制值

（单位：km/h）

纵坡	半径					
	600m	500m	400m	300m	200m	100m
0%	68/57	64/55	60/53	56/51	52/49	48/45
1%	65/54	61/52	57/50	53/48	49/46	45/42
2%	63/51	59/49	55/47	51/45	47/43	43/40

表 8-12　硬路肩宽度为 1.5m，冰雪路面的平曲线路段小型客车/载重货车的车速限制值

（单位：km/h）

纵坡	半径					
	600m	500m	400m	300m	200m	100m
0%	74/65	70/63	66/61	62/55	58/52	54/48
1%	72/62	68/60	64/58	60/56	56/50	52/46
2%	69/60	65/58	61/56	57/54	53/48	49/43

2. 弯坡组合路段

表 8-13　硬路肩宽度为 0.75m，干燥路面的弯坡组合路段小型客车/载重货车的车速限制值

（单位：km/h）

纵坡	半径					
	600m	500m	400m	300m	200m	100m
3%	80/55	76/53	72/51	68/49	64/47	60/45
4%	77/52	73/50	69/48	65/46	61/44	57/42
5%	75/49	71/47	67/45	63/43	59/41	55/39
6%	72/47	68/45	64/43	60/41	56/39	52/37
7%	69/44	65/42	61/40	57/38	53/36	49/34
8%	66/41	62/39	58/37	54/35	50/33	46/31

表 8-14　硬路肩宽度为 1.5m，干燥路面的弯坡组合路段小型客车/载重货车的车速限制值

（单位：km/h）

纵坡	半径					
	600m	500m	400m	300m	200m	100m
3%	87/64	83/62	79/60	75/58	71/56	67/54
4%	84/61	80/59	76/57	72/55	68/53	64/51
5%	81/58	77/56	73/54	69/52	65/50	61/48
6%	78/55	74/53	70/51	66/49	62/47	58/45
7%	75/52	71/50	67/48	63/46	59/44	55/42
8%	72/50	68/48	64/46	60/44	56/42	52/40

表 8-15　硬路肩宽度为 0.75m，冰雪路面的弯坡组合路段小型客车/载重货车的车速限制值

（单位：km/h）

纵坡	半径					
	600m	500m	400m	300m	200m	100m
3%	60/48	56/46	52/44	48/42	44/40	40/38
4%	57/45	53/43	49/41	45/39	41/37	37/35
5%	54/42	50/40	46/38	42/36	38/34	34/32
6%	51/40	47/38	43/36	39/34	35/32	31/28
7%	48/37	44/35	40/33	36/31	32/29	28/26
8%	46/34	42/32	38/30	34/28	30/26	26/22

表 8-16　硬路肩宽度为 1.5m，冰雪路面的弯坡组合路段小型客车/载重货车的车速限制值

（单位：km/h）

纵坡	半径					
	600m	500m	400m	300m	200m	100m
3%	66/57	62/55	58/53	54/51	50/49	46/43
4%	63/54	59/52	55/50	51/48	47/45	43/40
5%	60/51	56/49	52/47	48/45	44/41	40/37
6%	58/48	54/46	50/44	46/42	42/40	38/36
7%	55/45	51/43	47/41	43/39	39/37	35/33
8%	52/43	48/41	44/39	40/37	36/34	32/30

8.3　特殊路段限速方案

8.2 节给出了双车道公路特殊路段的车速限制值,考虑到双车道公路的速度限制是一个系统的工程,在进行特殊路段限速之前需要进行多方面的研究准备工作。首先,不同限速形式有不同的优劣性,如何把握选择及搭配使用至关重要。其次,对于双车道公路,确定何种减速设施最具适用性并且能取得较好的减速效果。

8.3.1　限速形式

一般情况下,较为常见的限速形式及其相互关系如图 8-2 所示,不同的限速方法可相互配合使用[172]。

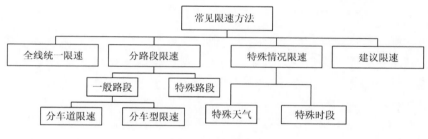

图 8-2　限速形式

我国双车道公路普遍具有宽度变化多样、线形指标较低、车型及路侧环境复杂等特点,所以应结合不同双车道公路的实际情况制定与之适应的限速方案,以实现双车道公路高效、安全运营。因此,建议采用分路段限速与特殊路段局部限速相结合的限速方法。

分路段限速主要考虑从公路的线形条件出发,双车道公路的线形指标及横、纵断面变化多样,因此分路段限速的方法总体上适用于双车道公路限速。但该方法也存在一定的局限性,对于某些不能发挥限速作用或者限速作用不明确的特殊路段,考虑引入特殊路段局部限速与之相结合,提高道路交通安全性。

8.3.2　限速设施

双车道公路主要的限速设施包括限速标志、振动减速标线、视错觉标线、减速带等形式。根据设计标准的规定，各类限速相关设施的设置条件和限速效果的总结如表 8-17 所示[173]。

表 8-17　各种限速设施的设置条件和限速效果

限速设施	设置条件	限速效果
限速标志	宜与其他警告标志、减速标线、减速限速标志路面、速度监控设施等配合使用，才能起到较好的限速效果	除与警告标志（如急弯、事故多发段等）、减速标线或交通执法相结合外，限速标志的减速效果很小
振动减速标线	适用于高速公路及其他等级公路，应提前进行预告	减速效果与其标线厚度、设置组数、每组道数、每道间距、每组间距均有关系。每组小型车一般可以减速 0.6～7km/h，大型车减速不明显，一般减速 0.2～4km/h
视错觉标线	可设于高速公路、一级公路和二级公路的沥青路面或水泥路面上，当设置在黑色路面上时，提示和减速效果最好	减速效果并不明显，车辆平均减速 2～5km/h。对于大型车，能起到的减速作用很小；对于小型车，由于其视点较低，减速作用稍好
减速带	可根据实际情况应用于运行速度较低的三级、四级公路等外的通乡、通村公路，以及小区、厂区的公路上	会使所有的车辆强制减速，并且减速幅度很大，通常几乎所有车辆都被强制减速 10～25km/h

限速标志是法律规定的交通标志，因此限速标志的使用具有强制的法律效力。此外，双车道公路的线形复杂且变化较大，考虑采用半强制性限速设施以确保限速效果，同时保证限速设施不会对运行车辆的安全造成风险。因此，推荐采用限速标志结合振动减速标线作为双车道公路的主要限速设施。

目前，我国关于限速设施设置的标准性文件中，在具体设置方法的介绍上不够详尽。对于振动减速标线的设置，标线总长度的计算需要调查初始车速 v_0 和目标车速 v_s，将 v_0、v_s 代入式（8-7）中，即可计算出振动减速标线的总长度 S：

$$S = \frac{v_s^2 - v_0^2}{2a} \qquad (8-7)$$

式中，a 为行驶在振动减速标线上的均匀减速度，m/s^2。

综合考虑人体受力限度及振动减速标线的设置长度要求，研究认为减速度取 1.8m/s^2 比较适合。若地形条件和经济条件允许，出于安全的考虑，可以取更小的减速度。此外，对于每一道振动减速标线的设置，从目标车速地点进行反向推导，每两道振动减速标线间的具体间隔距离如表 8-18 所示。

表 8-18　振动减速标线设置参数

振动减速标线	第二道	第三道	第四道	第五道	第六道	第七道	第八道	第九道	第十道及以上
间隔/m	17	20	23	26	28	30	32	32	32

8.3.3　制定限速方案

结合上述对限速形式、限速设施的讨论分析，针对双车道公路平曲线路段和弯坡组合路段的交通事故特性，制定的限速方案如下。

1. 平曲线路段

单个平曲线路段的限速设置主要有以下几点内容。

（1）设置向左（右）弯路或事故多发路段等警告标志。

（2）设置限速标志，考虑情况设置其他辅助的强制性减速设施。

（3）设置禁止超车标志，并根据需要设置解除禁止超车标志。

（4）路侧设置线形诱导标、轮廓标。

（5）在弯道外侧设置护栏。

对于连续小半径曲线路段，除可选择单个小半径曲线采取的对策外，还可以采用以下措施之一或综合采用以下措施。

（1）设置连续弯道警告标志，并使用告示牌，说明前方××m 处有连续弯道。

（2）设置限速标志，可以设置解除限速标志或使用辅助标志说明限速路段的长度。

（3）上、下行弯道起点前设置减速带。

（4）弯道圆曲线段双向设置禁止变换车道标线。

（5）两弯道连接处设置急弯、慢行标志。

2. 弯坡组合路段

由于弯坡组合路段有可能存在长、大下坡，在平曲线路段限速方案的基础上，限速设施的设置应考虑对载重货车进行约束，即保证行车制动器不发生"热衰减"现象。对于限速设置，应从综合设计的理念出发，设置以下四个层次的安全保障措施来迫使驾驶员保持警惕，达到安全行车效果。

（1）"视线诱导"：该层次是通过交通标志对长、大下坡的信息进行提前告知，以防驾驶员准备不足而发生险情。

（2）"视觉警示"：从心理上对驾驶员进行影响，设置警示、警告标志，使其减少频繁制动、保持低速行驶。

（3）"触觉强制减速"：在车速过高的路段设置强制减速设施，凭借该设施产生的震动或视觉冲击提醒驾驶员降低车速，保障行车安全。

（4）"紧急救援"：设置避险车道、强化防护栏等设施以保障车辆安全。

参 考 文 献

[1]   交通运输部. 2021 年全国交通运输行业发展统计公报[R]. 北京：交通运输部，2022.

[2]   公安部交通管理局. 道路交通事故统计年报（2018 年度）[M]. 北京：人民交通出版社，2018.

[3]   Federal Highway Administration（FHWA）. Roadway departure safety[R]. Washington：Federal Highway Administration（FHWA），2018.

[4]   Consortium R. Guidelines for roadside infrastructure on new and existing roads[C]. Roadside Infrastructure for Safer European Roads，Deliverable 6. 5th Research Framework Programme "Growth"，Brussels，2005.

[5]   American Association of State Highway and Transportation Officials（AASHTO）. Roadside Design Guide[M]. fourth edition. Washington：AASHTO，2011.

[6]   Jenkins J M，Rilett L R. Classifying passing maneuvers：A behavioral approach[J]. Transportation Research Record：Journal of the Transportation Research Board，2005，1937（1）：14-21.

[7]   Brewer M A，Wooldridge M D，Parham A H，et al. Signing for passing lane sections on two-lane rural roadways in texas[C]. TRB 82nd Annual Meeting，Washington，2003.

[8]   Polus A，Livneh M，Frischer B. Evaluation of the passing process on two-lane rural highways[J]. Transportation Research Record：Journal of the Transportation Research Board，2000，1701（1）：53-60.

[9]   Carlson P J，Miles J D，Johnson P K. Findings and implications from daytime high-speed passing maneuvers observed on a rural two-lane，two-way highway[C]. International Symposium on Highway Geometric Design，Washington，2005.

[10] Farah H. Age and gender differences in overtaking maneuvers on two-lane rural highways[J]. Transportation Research Record：Journal of the Transportation Research Board，2011，2248（1）：30-36.

[11] Llorca C，Moreno A T，Garcia A，et al. Daytime and nighttime passing maneuvers on a two-lane rural road in spain[J]. Transportation Research Record：Journal of the Transportation Research Board，2013，2358（1）：3-11.

[12] Munehiro K，Akimoto S，Tokunaga R A，et al. Effects of dry and compacted snow on passing behavior in driving test on rural highways[C]. Transportation Research Board Meeting，Washington，2008.

[13] 周泽民，马超. 双车道公路的超车事故[J]. 河南交通科技，1994，1（1）：48-50.

[14] 张慧丽，陈队永，孙海龙. 超车视距设计中的风险评价[J]. 道路交通与安全，2008，8（2）：34-38.

[15] 单晓峰，夏东，王昊. 双车道公路超车两难区域研究[J]. 公路交通科技，2007，24（3）：

111-114.

[16] 邵长桥, 刘江, 荣建, 等. 双车道公路上驾驶员超车行为研究[J]. 北京工业大学学报, 2007, 33 (3): 302-305.

[17] 王润琪, 周永军, 肖传恩. 双车道公路超车视距计算方法[J]. 交通运输工程学报, 2011 (3): 68-73.

[18] 朱秀娟. 双车道公路上驾驶员超车行为的安全评价[D]. 昆明: 昆明理工大学, 2010.

[19] 刘江. 双车道公路驾驶员超车行为试验研究[J]. 北京工业大学学报, 2013, 39 (8): 1238-1243.

[20] 韩直. 双向双车道公路超车特性[J]. 交通与计算机, 1992 (2): 37-42.

[21] 沈建武, 严宝杰. 双车道公路上的超车问题[J]. 武汉城市建设学院学报, 1995 (2): 17-21.

[22] 潘晓东, 吕明, 杨轸. 山区公路爬坡车道的设置条件与方法研究[J]. 城市公用事业, 2007, 21 (6): 12-15.

[23] 伍光祥, 龚先兵. 计算超车视距的 "三过程五距离法" [J]. 中南公路工程, 1997, 22 (4): 10-15.

[24] 荣建, 刘世杰, 邵长桥, 等. 超车模型在双车道公路仿真系统中的应用研究[J]. 公路交通科技, 2007, 24 (11): 136-139.

[25] Neuman T. A guide for addressing head-on collisions[J]. Transportation Research Board, 2003, 15 (4): 23-34.

[26] Ghods A H, Saccomanno F F. Safety and traffic implications of differential car and truck speed controls for two-lane highways[J]. Journal of Transportation Engineering, 2016, 142 (11): 1-15.

[27] Potts I B, Harwood D W. Benefits and design/location criteria for passing lanes[J]. Crash Rates, 2004, 34 (8): 34-50.

[28] American Association of State Highway and Transportation Officials (AASHTO). Highway Safety Manual[M]. Washington: AASHTO, 2010.

[29] Harwood D, John A. Passing lanes and other operational improvements on two-lane highways[R]. Phase I Technical Report, 1985.

[30] Bagdade J, Ceifetz A, Myers M, et al. Evaluating performance and making best use of passing relief lanes[J]. Data Collection, 2011, 16 (5): 15-34.

[31] Ahmed A, Zachary F. Empirical examination of passing lane operational benefits on rural two-lane highways[J]. Procedia-social and Behavioral Sciences, 2011, 16 (2): 340-351.

[32] Lubliner H, Schrock S D. Calibration of the highway safety manual prediction method for rural kansaS highways[C]. Transportation Research Board Meeting, Washington, 2012.

[33] Woolridge M C, Messer B H S R A, Lee S. Design criteria for improved two-lane section (Super 2) [J]. Texas Transportation Institute, 2002, 1 (2): 40-64.

[34] Washington D. Highway capacity manual[J]. Special Report, 2000, 1 (1-2): 5-7.

[35] Kim Y R, Lee S K, Moon J P, et al. A Study on Appropriate length of passing lane in consideration of traffic characteristics of two-lane roads in south korea[J]. Procedia-social and Behavioral Sciences, 2012, 43 (5): 671-680.

[36] Russell E R, Mutabazi M I, Stokes R W. The effectiveness, location, design and safety of passing lanes in Kansas (USA)[J]. Publication of Swedish National Road & Transport Research

Institute，1998，1（1）：6-12.

[37] Ryus P，Vandehey M. Highway Capacity Manual 2010[Z]. TR News，2011，273（1）：45-48.

[38] Frost U，Morrall J. A comparison and evaluation of the geometric design practices with passing lanes，wide-paved shoulders and extra-wide two-lane highways in Canada and Germany[J]. Transportation Research Circular，1998，32（6）：78-89.

[39] Charlton S G. Delineation effects in overtaking lane design[J]. Transportation Research Part F Psychology & Behaviour，2007，10（2）：153-163.

[40] 刘振利. 超车车道的设置方法[J]. 山东交通科技，1990（4）：37-38.

[41] American Traffic Safety Services Association（ATSSA）. Preventing vehicle departures from roadways[Z]. Virginia：American Traffic Safety Services Association（ATSSA），2015.

[42] Liu C，Subramanian R. Factors related to fatal single-vehicle run-off-road crashes[R]. Washington：U.S. Department of Transportation，2009.

[43] Lord D，Brewer M A，Fitzpatrick K，et al. Analysis of roadway departure crashes on two lane rural roads in Texas[R]. Galveston：Texas Transportation Institute，2011.

[44] Ewan L，Al-Kaisy A，Hossain F. Safety effects of road geometry and roadside features on low-volume roads in Oregon[J]. Transport Research Record：Journal of the Transportation Ressarch Board，2016，2580（1）：47-55.

[45] Jiang X，Yan X，Huang B，et al. Influence of curbs on traffic crash frequency on high-speed roadways[J]. Traffic Injury Prevention，2011，12（4）：412-421.

[46] Lin C，Ye T J. Run-off-road crashes：An on-scene perspective[R]. Washington：U.S. Department of Transportation，2011.

[47] Lee J，Mannering F. Impact of roadside features on the frequency and severity of run-off-roadway accidents：An empirical analysis[J]. Accident Analysis & Prevention，2002，34（2）：149-161.

[48] El-Esawey M，Sayed T. Evaluating safety risk of locating above ground utility structures in the highway right-of-way[J]. Accident Analysis & Prevention，2012，49（5）：419-428.

[49] Koisaari T，Tervo T，Sihvola N. 185 lethal single vehicle accidents of ESC fitted passenger cars[R]. London：BMJ Publishing Group Ltd，2016.

[50] Lyckegaard A，Hels T，Bernhoft I M. Effectiveness of electronic stability control on single-vehicle accidents[J]. Traffic Injury Prevention，2015，16（4）：380-386.

[51] Anderson R W J，Searson D J. Use of age-period-cohort models to estimate effects of vehicle age，year of crash and year of vehicle manufacture on driver injury and fatality rates in single vehicle crashes in New South Wales，2003-2010[J]. Accident Analysis & Prevention，2015，75（12）：202-210.

[52] McLaughlin S B，Hankey J M，Klauer S G，et al. Contributing factors to run-off-road crashes and near-crashes[R]. Washington：National Highway Traffic Safety Administration（NHTSA），2009.

[53] Shauna L，Samantha T，Nicole O，et al. Evaluation of driving behavior on rural 2-lane curves using the SHRP 2 naturalistic driving study data[J]. Journal of Safety Research，2015，54（7）：11-17.

[54] Shankar V N，Chayanan S，Sittikariya S，et al. Marginal impacts of design，traffic，weather，

and related interactions on roadside crashes[J]. Transport Research Record: Journal of the Transportation Research Board, 2004, 1897 (1): 156-163.

[55] Rusli R, Haque M M, King M, et al. Single-vehicle crashes along rural mountainous highways in Malaysia: An application of random parameters negative binomial model[J]. Accident Analysis & Prevention, 2017, 102 (5): 153-164.

[56] Hosseinpour M, Shukri Y A, Farhan S A, et al. Evaluating the effects of road geometry, environment, and traffic volume on rollover crashes[J]. Transport, 2016, 31 (2): 221-232.

[57] Adanu E K, Hainen A, Jones S. Latent class analysis of factors that influence weekday and weekend single-vehicle crash severities[J]. Accident Analysis & Prevention, 2018, 113 (4): 187-192.

[58] Stephan K L, Newstead S V. Characteristics of the road and surrounding environment in metropolitan shopping strips: Association with the frequency and severity of single-vehicle crashes[J]. Traffic Injury Prevention, 2014, 15 (1): 74-80.

[59] Zegeer C V, Hummer J, Reinfurt D, et al. Safety effects of cross-section design for two-lane roads. Volume 1[R]. Washington: Federal Highway Administration, 1987.

[60] Shankar V, Mannering F. An exploratory multinomial logit analysis of single-vehicle motorcycle accident severity[J]. Journal of Safety Research, 1996, 27 (3): 183-194.

[61] 高海龙, 李长城. 路侧安全设计指南[M]. 北京: 人民交通出版社, 2008.

[62] 方勇, 郭忠印, 李志勇. 双车道公路路侧环境客观安全性评估模型[J]. 同济大学学报 (自然科学版), 2013, 41 (7): 1025-1030.

[63] 龙科军, 李寅, 雷正保, 等. 基于加速度严重指数的公路路侧危险度评估[J]. 中国公路学报, 2013, 26 (3): 143-149.

[64] Ayati E, Asghar S A, Moghaddam A M, et al. Introducing roadside hazard severity indicator based on evidential reasoning approach[J]. Safety Science, 2012, 50 (7): 1618-1626.

[65] Xie Y, Zhao K, Huynh N. Analysis of driver injury severity in rural single-vehicle crashes[J]. Accident Analysis & Prevention, 2012, 47 (7): 36-44.

[66] Holdridge J M, Shankar V N, Ulfarsson G F. The crash severity impacts of fixed roadside objects[J]. Journal of Safety Research, 2005, 36 (2): 139-147.

[67] Roque C, Moura F, Cardoso J L. Detecting unforgiving roadside contributors through the severity analysis of ran-off-road crashes[J]. Accident Analysis & Prevention, 2015, 80 (7): 262-273.

[68] Daniello A, Gabler H C. Fatality risk in motorcycle collisions with roadside objects in the United States[J]. Accident Analysis & Prevention, 2011, 43 (3): 1167-1170.

[69] Roque C, Jalayer M. Improving roadside design policies for safety enhancement using hazard-based duration modeling[J]. Accident Analysis & Prevention, 2018, 120 (11): 165-173.

[70] Cheng G, Cheng R, Pei Y, et al. Severity assessment of accidents involving roadside trees based on occupant injury analysis[J]. PLoS One, 2020, 15 (4): e231030.

[71] Chen F, Chen S. Injury severities of truck drivers in single-and multi-vehicle accidents on rural highways[J]. Accident Analysis & Prevention, 2011, 43 (5): 1677-1688.

[72] Jiang C, Lu J J, Lu L. Analysis of single-vehicle crash injury severities in urban river-crossing road tunnels[J]. Applied Mechanics and Materials, 2015, 68 (3): 526-532.

[73] Yau K K W. Risk factors affecting the severity of single vehicle traffic accidents in Hong Kong[J]. Accident Analysis & Prevention, 2004, 36（3）: 333-340.

[74] Rezapour M, Moomen M, Ksaibati K. Ordered logistic models of influencing factors on crash injury severity of single and multiple-vehicle downgrade crashes: A case study in Wyoming[J]. Journal of Safety Research, 2019, 68（2）: 107-118.

[75] Zhou M, Chin H C. Factors affecting the injury severity of out-of-control single-vehicle crashes in Singapore[J]. Accident Analysis & Prevention, 2019, 124（3）: 104-112.

[76] Li Z, Wu Q, Ci Y, et al. Using latent class analysis and mixed logit model to explore risk factors on driver injury severity in single-vehicle crashes[J]. Accident Analysis & Prevention, 2019, 129（8）: 230-240.

[77] Arora P, Chanana A, Tejpal H R. Estimation of blood alcohol concentration in deaths due to roadside accidents[J]. Journal of Forensic and Legal Medicine, 2013, 20（4）: 300-304.

[78] Osman M, Mishra S, Paleti R. Injury severity analysis of commercially-licensed drivers in single-vehicle crashes: Accounting for unobserved heterogeneity and age group differences[J]. Accident Analysis & Prevention, 2018, 118（9）: 289-300.

[79] Shults R A, Bergen G, Smith T J, et al. Characteristics of single vehicle crashes with a teen driver in South Carolina, 2005-2008[J]. Accident Analysis & Prevention, 2019, 122（1）: 325-331.

[80] Wu Q, Zhang G, Zhu X, et al. Analysis of driver injury severity in single-vehicle crashes on rural and urban roadways[J]. Accident Analysis & Prevention, 2016, 94（9）: 35-45.

[81] Yuan Q, Dai X, Wang W. Contributing factors and severity of serious single-passenger vehicle collisions in Beijing[J]. International Journal of Crashworthiness, 2016, 21（1）: 32-40.

[82] Li Z, Chen C, Wu Q, et al. Exploring driver injury severity patterns and causes in low visibility related single-vehicle crashes using a finite mixture random parameters model[J]. Analytic Methods in Accident Research, 2018, 20（12）: 1-14.

[83] Li Z, Ci Y, Chen C, et al. Investigation of driver injury severities in ruralsingle-vehicle crashes under rain conditions using mixed logit and latent class models[J]. Accident Analysis & Prevention, 2019, 124（3）: 219-229.

[84] Michigan Department of Transportation（MDOT）. Road Design Manual[M]. Michigan: Michigan Department of Transportation, 2011.

[85] Sax C R, Maze T H, Souleyrette R R, et al. Optimum urban clear zone distance[J]. Transport Research Record, 2010, 2195（1）: 27-35.

[86] 范晓秋, 邢莹莹. 基于宽容理念的路侧净区宽度设计[J]. 交通运输工程与信息学报, 2013, 11（4）: 49-54.

[87] Ogden K W. Safer roads: A guide to road safety engineering[M]. Burlington: Ashgate Publishing Company, 1996.

[88] Jurewicz C, Pyta V. Effect of clear zone widths on run-off-road crash outcomes[C]. Proceedings of the 2010 Australasian Road Safety Research, Policing and Education Conference, Brisbane, 2010.

[89] Doecke S, Woolley J. Further investigation into the effective use of clear zones and barriers in a safe system's context on rural roads[C]. The Australasian Road Safety Research Policing and

Education Conference，Perth，2011.

[90] Fitzpatrick C D，Samuel S，Knodler Jr M A. Evaluating the effect of vegetation and clear zone width on driver behavior using a driving simulator[J]. Transportation Research Part F：Traffic Psychology and Behaviour，2016，42（10）：80-89.

[91] Fitzpatrick C D，Harrington C P，Knodler Jr M A，et al. The influence of clear zone size and roadside vegetation on driver behavior[J]. Journal of Safety Research，2014，49（6）：91-97.

[92] Zegeer C V，Council F M. Safety effectiveness of highway design features volume Ⅲ：Cross sections. Design[R]. Washington：FHWA，Design Concepts Research Division，1992.

[93] Zou Y，Tarko A P，Chen E，et al. Effectiveness of cable barriers，guardrails，and concrete barrier walls in reducing the risk of injury[J]. Accident Analysis & Prevention，2014，72（11）：55-65.

[94] Johnson N S，Thomson R，Gabler H C. Improved method for roadside barrier length of need modeling using real-world trajectories[J]. Accident Analysis & Prevention，2015，80（7）：162-171.

[95] Rosenbaugh S K，Faller R K，Schmidt J D，et al. Development of a 34-in tall thrie-beam guardrail transition to accommodate future roadway overlays[J]. Transport Research Record：Journal of the Transportation Research Board，2019，2673（2）：489-501.

[96] Lee D W，Ahn J S，Woo K S. Vehicle impact analysis of flexible barriers supported by different shaped posts in sloping ground[J]. Advances in Mechanical Engineering，2014，6（1）：1-13.

[97] Ferdous M R，Abu-Odeh A，Bligh R P，et al. Placement of traffic barriers on roadside and median slopes-guidelines based on numerical simulations[J]. International Journal of Crashworthiness，2013，18（2）：110-125.

[98] 陈慧，张绍理，刘志刚，等. 基于 AHP 方法的山区等级公路路侧防护措施设置研究[J]. 中外公路，2014，34（6）：285-288.

[99] 韩海峰，杨轸，郑挺. 高速公路路侧护栏碰撞能量需求研究[J]. 公路交通科技，2016，33（12）：118-124.

[100] Stonex K A. Roadside design for safety[C]. Highway Research Board Proceedings，Washington，1960.

[101] Jalayer M，Zhou H. Evaluating the safety risk of roadside features for rural two-lane roads using reliability analysis[J]. Accident Analysis & Prevention，2016，93（8）：101-112.

[102] American Association of State Highway and Transportation Officials（AASHTO）. Roadside design guide[M]. Washington：AASHTO，1988.

[103] De Albuquerque F D B，Sicking D L，Faller R K，et al. Evaluating the cost-effectiveness of roadside culvert treatments[J]. Journal of Transportation Engineering，2011，137（12）：918-925.

[104] Ayati M，Shahidian M. Safety and cost-effectiveness of clear zones in Iran[J]. Civil Engineering Innovation，2008，2（1）：37-46.

[105] Ayati M，Shahidian M. Decision aid for allocation of transportation funds to roadside safety enhancement[J]. Iranian Journal Ofence & Technology-Transaction B：Engineering，2007，31（2）：34-43.

[106] Roque C，Cardoso J L. SAFESIDE：A computer-aided procedure for integrating benefits and

costs in roadside safety intervention decision making[J]. Safety Science，2015，74（4）：195-205.

[107] 王红军. 基于调查分析的双车道公路交通安全特征[J]. 城市建设理论研究，2015，5（22）：8836-8838.

[108] 李雪根，韩洪泽，陈贤策. 双车道干线公路事故多发路段成因分析[J]. 工程建设标准化，2016，8（213）：45-53.

[109] 山东省聊城市统计局. 聊城统计年鉴[M]. 聊城：聊城市统计局，2017.

[110] 姚荣涵，王殿海，李丽丽. 机动车车头时距分布的韦布尔修正模型[J]. 吉林大学学报（工学版），2009，39（2）：331-335.

[111] 高峰，刘江，杨新刚，等. 基于 Fisher 最优分割法的机床热关键点优化研究[J]. 仪器仪表学报，2013，34（5）：1070-1075.

[112] 周源，杜俊飞，王子鸿，等. 基于多种函数拟合的自适应最优分割法[J]. 统计与决策，2019，35（13）：65-68.

[113] 程瑞. 汽车交通事故深度调查与安全性分析[D]. 济南：山东交通学院，2017.

[114] Beauchamp G，Rose N A. Analysis of a dolly rollover with PC-crash[M]. Kineticorp：SAE Technical Paper，2009.

[115] Dotai R，Pal C. Effective numerical simulation tool for real-world rollover accidents by combining PC-crash and FEA[M]. Kineticorp：SAE Technical Paper，2007.

[116] Naing C L，Hill J，Thomson R，et al. Single-vehicle collisions in Europe：Analysis using real-world and crash-test data[J]. International Journal of Crashworthiness，2008，13（2）：219-229.

[117] Mistikoglu G，Gerek I H，Erdis E，et al. Decision tree analysis of construction fall accidents involving roofers[J]. Expert Systems with Applications，2015，42（4）：2256-2263.

[118] Connaboy C，Eagle S，Johnson C，et al. Employing machine learning to predict lower extremity injury in U.S. Special Forces[J]. Medicine & Science in Sports & Exercise，2018，51（5）：1-14.

[119] Liu X，Liu Y，Liu S，et al. Classification tree analysis of the factors influencing injury-related disability caused by the Wenchuan Earthquake[J]. The Journal of International Medical Research，2014，42（2）：487-493.

[120] Strobl C，Malley J，Tutz G. An introduction to recursive partitioning：Rationale，application，and characteristics of classification and regression trees，bagging，and random forests [J]. Psychol Methods，2009，14（4）：323-348.

[121] Kass G V. An exploratory technique for investigating large quantities of categorical data[J]. Journal of the Royal Statistical Society：Series C（Applied Statistics），1980，29（2）：119-127.

[122] Prati G，Pietrantoni L，Fraboni F. Using data mining techniques to predict the severity of bicycle crashes[J]. Accident Analysis & Prevention，2017，101（4）：44-54.

[123] Gargoum S A，El-Basyouny K. Exploring the association between speed and safety：A path analysis approach[J]. Accident Analysis & Prevention，2016，93（8）：32-40.

[124] 宇传华. SPSS 与统计分析[M]. 北京：电子工业出版社，2007.

[125] Hayes A F. Introduction to mediation，moderation，and conditional process analysis：A regression-based approach[M]. New York：Guilford Publications，2017.

[126] Hadayeghi A，Shalaby A，Persaud B. Development of planning-level transportation safety

models using full Bayesian semiparametric additive techniques[J]. Journal of Transportation Safety & Security，2010，2（1）：45-68.

[127] Pearl J. Probabilistic reasoning in intelligent systems：Networks of plausible inference[M]. Amsterdam：Elsevier，2014.

[128] Darwiche A. Modeling and reasoning with Bayesian networks[M]. Cambridge：Cambridge University Press，2009.

[129] Uusitalo L. Advantages and challenges of Bayesian networks in environmental modelling[J]. Ecological Modelling，2007，203（3-4）：312-318.

[130] Chen S H，Pollino C A. Good practice in Bayesian network modelling[J]. Environmental Modelling & Software，2012，37（11）：134-145.

[131] European Committee for Standardization. Road restraint systems-part 2：Performance classes，impact test acceptance criteria and test methods for safety barriers[S]. Paris：European Committee for Standardization，1998.

[132] Ross H E，Sicking D L，Zimmer R A，et al. Recommended procedures for the safety performance evaluation of highway features[R]. Washington：Spur Innovation Report 350，1993.

[133] 王辰. 基于 PC-CRASH 的汽车—护栏事故再现研究[D]. 长春：吉林大学，2014.

[134] 张维刚，胡高贤. 土基中波形梁护栏立柱的有限元模型研究[J]. 公路交通科技，2007，24（7）：143-146.

[135] 管满泉. 交通事故多发点鉴别方法的比较研究[J]. 公路，2009（4）：191-195.

[136] 高延龄. 汽车运用工程[M]. 3 版. 北京：人民交通出版社，2004.

[137] 杨少伟. 道路勘测设计[M]. 2 版. 北京：人民交通出版社，2009.

[138] 周建. 双车道公路通行能力影响因素研究[D]. 北京：北京工业大学，2007.

[139] 王锋，张金喜，蓝晓琴. 农村单车道公路错车道设置参数研究[J]. 武汉理工大学学报（交通科学与工程版），2011，35（5）：940-944.

[140] 赵伟，魏朗，张鞾. 汽车超车并行工况下侧向避撞控制策略研究[J]. 郑州大学学报（工学版），2008，29（1）：83-87.

[141] 李杰，韩熠. 基于运行车速的公路线形设计思路[J]. 公路，2007（6）：109-113.

[142] 裴玉龙，邢恩辉. 高等级公路纵坡的坡度、坡长限制分析[J]. 哈尔滨工业大学学报，2005，37（5）：629-632.

[143] 李霖，朱西产，马志雄. 驾驶员在真实交通危险工况中的制动反应时间[J]. 汽车工程，2014，36（10）：1225-1229.

[144] Friedman N，Geiger D，Goldszmidt M. Bayesian network classifiers[J]. Machine Learning，1997，29（2-3）：131-163.

[145] 何晓群. 多元统计分析[M]. 4 版. 北京：中国人民大学出版社，2015.

[146] Ross H E，Menges W L，Bullard D L. NCHRP report 350 compliance tests of the ET-2000[J]. Transportation Research Record：Journal of the Transportation Research Board，1996，1528（1）：28-37.

[147] American Association of State Highway and Transportation Officials（AASHTO）. Manual for Assessing Safety Hardware[M]. Washington：AASHTO，2009.

[148] American Society for Testing Material. Standard test methods for notched bar impact testing of

metallic materials[S]. Washington：American Society for Testing Material，2013.

[149] 杜玉东. 交通标志结构刚性露出式圆形柱脚的设计探讨[J]. 特种结构，2011，28（2）：36-39.

[150] Kennedy J，James C. Effect of light poles on vehicle impacts with roadside barriers[J]. Transport Resarch Record，1997，1599（1）：32-39.

[151] 尹贤平. 基于层次分析法的中小企业财务风险评价探讨[D]. 南昌：江西财经大学，2012.

[152] 忽文婷，谭泽飞，杨军. 基于层次分析法的道路交通安全综合评价研究[J]. 交通标准化，2010，（11）：255-257.

[153] 李耒. 交通标志人机效率评价指标体系建立及有效性验证[D]. 长春：吉林大学，2009.

[154] 胡圣能. 双车道二级公路平曲线因素与交通安全关系研究[D]. 西安：长安大学，2006.

[155] Hess B D，Norton T J，Park J，et al. Driving decisions of older adults receiving meal delivery：The influence of individual characteristics，the built environment，and neighborhood familiarity[J]. Transportation Research Part A：Policy and Practice，2016，11（6）：73-85.

[156] Himes S，Porter R J，Hamilton I，et al. Safety evaluation of geometric design criteria：Horizontal curve radius and side friction demand on rural，two-lane highways[J]. Transport Research Record：Journal of the Transportation Research Board，2019，6（3）：516-525.

[157] Zwahlen T H，Park Y J. Curve radius perception accuracy as function of number of delineation devices（chevrons）[J]. Transport Research Record，1995，7（12）：342-351.

[158] Gooch P J，Gayah V V，Donnell T E. Quantifying the safety effects of horizontal curves on two-way，two-lane rural roads[J]. Accident Analysis & Prevention，2016，92（7）：71-81.

[159] Zheng K，Rong J，Ren F. Analysis of relation between curve's radius and steering speed on expressway[J]. Journal of Highway and Transportation Research and Development，2003，20（2）：28-30.

[160] Hasan M，Sayed T，Hassan Y. Influence of vertical alignment on horizontal curve perception：Effect of spirals and position of vertical curve[J]. Canadian Journal of Civil Engineering，2011，32（1）：204-212.

[161] Kang X，Kim W，Namgung M. Driver emotional and perceptual evaluation over various highway horizontal curves[J]. KSCE Journal of Civil Engineering，2020，24（7）：34-47.

[162] González C，Cervera L，Moret-Fernández D. Basin irrigation design with longitudinal slope[J]. Agricultural Water Management，2011，98（10）：1516-1522.

[163] 苏英平.双车道二、三级公路纵断面线形与交通安全的关系[D]. 西安：长安大学，2006.

[164] Jovanovic D，Backalic T，Basic S. The application of reliability models in traffic accident frequency analysis[J]. Safety Science，2011，49（8-9）：1246-1251.

[165] Vijaya R B，Sreedhar M. Evaluation of reliability and traffic accident frequency rate by using system reliability model-a simulation approach[J]. International Journal of Statistics & Analysis，2013，3（1）：32-41.

[166] 蒋生珍. 山区公路弯坡组合路段行车特性分析[D]. 重庆：重庆交通大学，2017.

[167] 乔建刚. 基于驾驶员因素的山区双车道公路关键参数研究[D]. 北京：北京工业大学，2006.

[168] 宋涛. 山区低等级公路运行速度安全性评价方法研究[D]. 成都：西南交通大学，2007.

[169] 张泽良. 基于运行速度的双车道公路线形设计方法研究[D]. 重庆：重庆交通大学，2010.

[170] 胡江碧，杨洋，张美杰. 山区高速公路弯坡组合段安全性评价方法[J]. 中国公路学报，

2010，23（S1）：89-92.

[171] 吕新鹏. 山区双车道公路车辆速度对行驶安全影响的研究[D]. 长春：吉林大学，2014.

[172] 曾笑雨. 双车道公路限速值决策技术及限速方法研究[D]. 成都：西南交通大学，2013.

[173] 汪双杰，周荣贵，孙小端. 公路运行速度设计理论与方法[M]. 北京：人民交通出版社，
     2010.